D0783870

Europa in crisis

Coen Teulings,
Michiel Bijlsma, George Gelauff,
Arjan Lejour en Mark Roscam Abbing

Europa in crisis

Het Centraal Planbureau over
schulden en de toekomst van de eurozone

Uitgeverij Balans

Omslag Bockting Ontwerpers
Boekverzorging CeevanWee, Amsterdam
Druk Wilco, Amersfoort

ISBN 978 94 600 3407 7
NUR 780

www.uitgeverijbalans.nl

Inhoud

Woord vooraf 7

1 Prijs de dag niet voor het avond is 11
2 Made in Europe 40
3 De baten van de euro 67
4 De financiële sector als Europees zorgenkind 91
5 Schuld en boete 117
6 Waarom lost een land zijn schulden af? 140
7 Europa als crisismanager 162
8 Duitsland: reus zonder richting 185
9 Onder druk wordt alles vloeibaar 209

Gebruikte afkortingen 232
Index 233

Woord vooraf

De Europese schuldencrisis is niet uit het nieuws te slaan. Wat twee jaar geleden nog ondenkbaar leek, is inmiddels aan de orde: het voortbestaan van de euro wordt bedreigd. Het is nauwelijks verrassend dat dit velen bezighoudt. Bijgevolg wordt er ook ontzettend veel over deze crisis geschreven. Echter, wat er geschreven wordt, klopt lang niet allemaal.

In dit boek probeert het CPB helderheid te scheppen over de oorzaken en achtergronden van de crisis. We geven zicht op het belang van Europa en de euro voor onze economie. We laten zien dat er een aantal ontwerpfouten in de Economische en Monetaire Unie (EMU) zit, waar wij nu tegenaan lopen. In de pers gaat de meeste aandacht nu uit naar de gebrekkige begrotingsdiscipline van zuidelijke lidstaten. Echter, het tekortschietende toezicht op de financiële sector in heel Europa is misschien nog wel een belangrijker probleem. En we geven zicht op mogelijke oplossingen, zowel op de korte als op de lange termijn.

Net als het boek *De grote recessie* dat het CPB twee jaar geleden uitbracht, is ook dit boek gericht op een breder publiek dan voor het CPB gebruikelijk is. Net als toen is de reden voor het schrijven van een dergelijk boek dat economische gebeurtenissen op dit moment diep ingrijpen in ons dagelijks leven. Zo diep dat er in bredere kring behoefte bestaat aan feitelijke informatie en aan een analyse van de oorzaken en mogelijke oplossingen. Twee jaar geleden dachten wij dat een crisis met een dergelijke impact een hoogst uitzonderlijke gebeurtenis zou zijn, eens per decennium of daaromtrent. Maar nu zien wij opnieuw aanleiding voor het schrijven van een dergelijk boek. Opnieuw geldt: de Europese schuldencrisis is een uitzonderlijke gebeurtenis die een uitzonderlijke publicatievorm rechtvaardigt. We wagen ons nu maar niet meer aan een voorspelling wanneer de volgende uitzonderlijke gebeurtenis zich zal voordoen, maar onze verwachting is dat het meer dan twee jaar zal duren. Veel meer zelfs.

Men kan zich afvragen waarom het CPB nu al met een dergelijk boek komt. Wij zitten op dit moment in het oog van de storm. Veel is nog onduidelijk. Die bedenking is juist. Over twee jaar weten we inderdaad veel meer over oorzaken en achtergronden. Ongetwijfeld zal de tijd leren dat onze voorlopige conclusies niet op alle punten juist waren. Maar de crisis vraagt nu om een antwoord, niet pas over twee jaar. De discussie over de achtergronden van de schulden raakt de fundamenten van de naoorlogse Europese samenwerking in het algemeen en de EMU in het bijzonder. Vandaar dit boek en vandaar dit moment.

Dit boek is geschreven door vijf CPB'ers, met steun van een grote groep collega's bij het verzamelen van materiaal, bij discussie over de hoofdlijnen van onze analyse en bij het geven van commentaar op eerdere versies. Wij willen hier met name Jürgen Antony, Jelte Haagsma, Douwe Kingma, Dick Morks, Paul Veenendaal en Jeannette Verbruggen bedanken voor hun bijdragen aan het project. Mathijs Bouman heeft, net als bij *De grote recessie*, het concept van voor tot achter van gedetailleerd commentaar voorzien. Henri de Groot, Edwin van de Haar, Albert van der Horst, Michiel van Leuvensteijn en Bert Smid hebben commentaar geleverd op eerdere versies. Daarnaast hebben de auteurs ook geprofiteerd van het commentaar van een aantal hoogleraren en deskundigen uit de beleidswereld.

Ieder hoofdstuk begint met vier bullets waarin de voornaamste conclusies van het hoofdstuk zijn samengevat. Op dezelfde manier besluiten we dit voorwoord met veertien punten die de conclusies van het hele boek samenvatten. Hier zijn ze:

- De Economische en Monetaire Unie (EMU) was bij zijn oprichting meer een politiek dan een economisch project.
- De interne Europese markt heeft tot grote welvaartswinst geleid, vooral voor Nederland. Het voordeel is één maandsalaris. Dit voordeel neemt in de loop der jaren verder toe.
- De winst van de invoering van de euro is minder duidelijk, ongeveer een weeksalaris.
- De kosten van het uiteenvallen van de EMU en de herinvoering van nationale munten zijn enorm.
- De Europese schuldencrisis is evenzeer een bankencrisis als een crisis van overheidsschulden en is daarom niet alleen de perifere eurolanden aan te rekenen.
- De crisis kan niet worden opgelost zonder snelle herkapitalisatie van het Europese bankwezen.
- De EMU functioneert minder dan de muntunie in de VS omdat in de VS de begrotingen van de individuele deelstaten een stuk kleiner zijn en die van de federatie een stuk groter.
- Verzet tegen herstructurering van de Griekse schuld ten laste van private schuldeisers, is moeilijk te begrijpen en strijdig met de no-bailout clausule.
- Hoewel er goede redenen zijn voor overdracht van bevoegdheden aan Europese instellingen, loopt bijna geen enkele lidstaat daarvoor warm.
- Voor een structurele oplossing van de crisis is de totstandkoming van één Europees bankentoezicht met één Europees reddingsfonds voor banken noodzakelijk.
- Verder moet een permanent Europees noodfonds voorkomen dat landen in crisistijd buiten hun directe schuld in liquiditeitsproblemen kunnen komen.
- Tot slot is preventief Europees toezicht op het nationaal begrotingsbeleid nodig. De disciplinerende werking van de kapitaalmarkt is te traag en te onvoorspelbaar.
- Omdat het begrotingsbeleid democratische controle vereist, hoort het niet bij de ECB thuis. Toch heeft de ECB daarvoor thans als enige voldoende geloofwaardigheid.

- De politieke patstelling lijkt nu hopeloos. Gezien de wordingsgeschiedenis van Europa zou deze crisis echter ook tot een institutionele doorbraak kunnen leiden.

Dit boek heeft geen noten. Degene die de bronnen van onze bevindingen wil achterhalen, verwijzen wij naar onze website www.cpb.nl\publicatie\europa-in-crisis.

Wij wensen u veel leesplezier toe.

Michiel Bijlsma
George Gelauff
Arjan Lejour
Mark Roscam Abbing
Coen Teulings

1
Prijs de dag niet voor het avond is

'The eurozone as designed, has failed. It was based on a set of principles that have proved unworkable at the first contact with a financial and fiscal crisis. It has only two options: to go forwards towards a closer union or backwards towards at least partial dissolution.'

MARTIN WOLF, FINANCIAL TIMES, 31 MEI 2011

- Bij haar oprichting in 1992 voldeed de Economische en Monetaire Unie (EMU) niet aan de criteria voor een optimale muntunie.
- De EMU was bij haar oprichting meer een politiek dan een economisch project.
- Een aantal economen heeft de huidige problemen van de EMU al twintig jaar geleden voorspeld.
- De Europese schuldencrisis is evenzeer een bankencrisis als een crisis van overheidsschulden en is daarom niet alleen de perifere eurolanden aan te rekenen.

De aankondiging van Griekenland in de Eurogroep-vergadering van ministers van Financiën van de eurolanden van oktober 2009 kwam als donderslag bij heldere hemel. De pas aangetreden minister van Financiën, George Papaconstantinou, had de twijfelachtige eer om zijn Europese collega's van het slechte nieuws op de hoogte te brengen: het Griekse financieringstekort in 2009 zou veel hoger zijn dan zijn voorgangers eerder hadden voorgespiegeld: twaalf procent in plaats van zes procent van het nationaal inkomen. Europa was net aan het opkrabbelen uit de Grote Recessie die de wereldeconomie had getroffen na de ondergang van Lehman Brothers in september 2008. De aankondiging van Papaconstantinou op de Eurogroep-vergadering betekende dat nu ook de Griekse overheid nauwelijks meer in staat zou zijn haar schulden af te betalen.

In de twee jaar daarna zou het van kwaad tot erger gaan. De Ierse regering had eerder alle schuld van het Ierse bankwezen gegarandeerd in een ultieme poging het faillissement van het Ierse bankwezen te voorkomen. Het gevolg was bijna het faillissement van de Ierse overheid. De rente die Ierland en Griekenland op de kapitaalmarkt moesten betalen om hun schuld te kunnen financieren, sprak boekdelen. Het vertrouwen van de kapitaalmarkt in het vermogen van deze landen om hun schuld terug te betalen nam steeds verder af. Eén voor één zouden ook de andere Zuid-Europese EMU-lidstaten in moeilijkheden komen: eerst Portugal, toen Spanje. Italië hield het langst stand. Maar begin augustus 2011 was ook dit land de klos. In een paar dagen tijd kon Italië nauwelijks meer lenen op de internationale kapitaalmarkt. Vijf landen hadden nu niet of nauwelijks meer zelfstandig toegang tot de kapitaalmarkt: Griekenland, Ierland, Portugal, Spanje en Italië. Dit vijftal zal in de rest van dit boek als de 'perifere eurolanden' worden aangeduid.

Hoe heeft het ooit zover kunnen komen? De Griekse economie is een van de kleinste van de Economische en Monetaire Unie (EMU). Vanuit Europees perspectief gezien is de Griekse schuld slechts een druppel in de oceaan. Hoe heeft een schuldenprobleem van een dergelijk klein land het hele europroject in gevaar kunnen brengen? Spanje heeft op het eerste gezicht altijd verstandig beleid gevoerd. Het heeft altijd aan alle officiële criteria voldaan. De economie groeide voorspoedig. Waarom hebben de financiële markten dan toch het vertrouwen in de

Spaanse economie verloren? En waarom hebben alle beveiligingen die in het ontwerp van de EMU waren ingebouwd om te voorkomen dat financiële problemen van de ene lidstaat andere lidstaten in de problemen zouden brengen, niet gewerkt?

Dit zijn slechts drie van de meest voor de hand liggende vragen die de Europese schuldencrisis oproept. Er zijn er nog veel meer. Hoe vanzelfsprekend die vragen ook zijn, ze laten zich niet een-twee-drie beantwoorden. Om de oorzaken van de crisis te begrijpen moeten we dieper ingaan op de aard van de moeilijkheden van de vijf landen die in de problemen zijn gekomen. Hoewel er een aantal overeenkomsten is, heeft de crisis in elk van die landen zijn eigen kenmerken. Wij moeten ook teruggaan in de geschiedenis. De EMU kende blijkbaar een aantal ontwerpfouten, anders was de Europese schuldencrisis niet zo uit de hand gelopen. Maar hoe zijn die ontwerpfouten ontstaan? Waren die problemen dan niet te voorzien? Die vragen kunnen alleen worden beantwoord wanneer we ons verdiepen in de ontstaansgeschiedenis van de EMU. Dit zijn de eerste stappen in de zoektocht naar de achtergronden van de Europese schuldencrisis.

Financieringstekort of betalingsbalans?

De start van de EMU in 1999 was als een sprookje. Vanaf 1995 waren de renteverschillen van de perifere eurolanden met Duitsland gaan dalen. De rente in Duitsland is het anker voor de rente op de Europese kapitaalmarkt. Duitsland geldt als een absoluut zekere belegging. De rente voor Nederland is meestal enkele tienden van een procent hoger. Andere landen betalen een hogere renteopslag boven de Duitse rente. Tussen 2005 en 2008 is die renteopslag echter nagenoeg verdwenen. Zo betaalde Griekenland in 1995 nog 10,4 procent meer dan Duitsland, in 2005 was dat verschil gezakt tot 0,2 procent. Voor de andere Zuid-Europese landen was dat niet anders. Financiële markten hadden blijkbaar groot vertrouwen in het monetaire beleid van de nieuwe Europese Centrale Bank (ECB). Voor de introductie van de euro hadden de nationale centrale banken van de perifere eurolanden vaak een ruimhartig monetair beleid gevoerd. Dat had geleid tot een hoge inflatie. Hoge inflatie holt de reële waarde van een vordering uit. Kapitaalverschaffers doorzien dit en eisen dus een hogere rente wanneer zij een vordering hebben in een valuta met hoge verwachte inflatie. De ECB had echter van meet af aan een ijzeren reputatie voor een strikt monetair beleid. Daarmee verdween de angst voor inflatie bij beleggers. Dus waren zij bereid om met een veel lagere rente genoegen te nemen.

De lage rentestand kwam voor de probleemlanden als een godsgeschenk. De rentelasten over de bestaande staatsschuld gingen fors omlaag. Die daling maakte voor de overheid ruimte vrij voor tal van andere aantrekkelijke bestedingen. Het goedkope krediet maakte het voor politici, maar ook voor private partijen, zeer verleidelijk om veel te lenen. Door de ruime beschikbaarheid van krediet werd er meer besteed dan er werd geproduceerd. Wat niet in eigen land werd geproduceerd, moest uit andere landen worden ingevoerd. Dus ontstonden er in alle perifere eurolanden tekorten op de handelsbalans. De tabel brengt dit in beeld. De perifere landen – omwille van de duidelijkheid in de tabel vet weergegeven – sprongen er niet zozeer uit vanwege het hoge financieringstekort van de overheid, zie de eerste kolom. Alleen in Griekenland en Portugal liep dat fors op. Waar alle probleemlanden echt mee opvielen, was het tekort op de handelsbalans, zie de tweede kolom. De tabel laat ook zien dat in de meeste perifere eurolanden de gezinnen de goedkope leningen niet gebruikten om meer te consumeren. Portugal is de enige uitzondering op deze regel. In alle andere landen werd het krediet gebruikt voor investeringen. Vooral vastgoed was een geliefde bestemming vanwege het goedkope krediet. De extra investeringen leidden echter niet tot extra maatschappelijk rendement. Een groot deel van de investeringen was weggegooid geld. Er ontstond een overaanbod van onroerend goed. Vooral in Ierland en Spanje ontstond een vastgoedluchtbel.

Perifere eurolanden vallen vooral op door de toename van het tekort op de lopende rekening

Cijfers gemiddeld over de periode 2000-2007

Financieringsoverschot van de overheid*		Overschot op de betalingsbalans*		Toename investeringen**	
Griekenland	**- 5,4**	**Portugal**	**- 9,4**	**Ierland**	**7,1**
Portugal	**- 3,7**	**Griekenland**	**- 8,4**	**Spanje**	**4,8**
Italië	**- 2,9**	**Spanje**	**- 5,8**	Finland	2,6
Frankrijk	- 2,7	**Ierland**	**- 1,8**	Luxemburg	2,5
Duitsland	- 2,2	**Italië**	**- 1,3**	**Griekenland**	**1,9**
Oostenrijk	- 1,6	Frankrijk	0,5	Frankrijk	1,7
Nederland	- 0,6	Oostenrijk	2,3	**Italië**	**0,9**
België	- 0,4	België	3,0	België	0,5
Spanje	**0,3**	Duitsland	3,2	**Portugal**	**- 0,4**
Ierland	**1,5**	Nederland	5,5	Oostenrijk	- 0,6
Luxemburg	2,3	Finland	6,2	Nederland	- 1,3
Finland	4,1	Luxemburg	10,6	Duitsland	- 2,6

* Als % van het bbp
** Als % van de nationale bestedingen ten opzichte van 1992 - 1999

Bron: Eurostat, OESO

De Hollandse Ziekte: verlies aan concurrentiekracht

De luchtbel op de huizenmarkt had een aantal vervelende bijverschijnselen. De grote vraag naar arbeidskrachten in de bouwsector dreef de lonen omhoog. Andere sectoren moesten die loonstijging wel volgen, wilden ze hun personeel kunnen vasthouden. Wat er nog aan industrie over was, kreeg het daardoor steeds moeilijker om de concurrentie met het buitenland vol te houden. Zij konden de kostenstijging immers niet doorberekenen aan hun klanten. Daar bood de concurrentie op de wereldmarkt geen ruimte voor.

Dit fenomeen hebben we in de geschiedenis vaker gezien. Telkens als een land om wat voor reden dan ook de beschikking krijgt over 'gratis geld', ontstaat er een *boom* in de dienstensector die produceert voor de lokale markt en gaan de bedrijven die hun producten elders aan de man brengen, ten onder. Het gebeurde in Spanje in de zestiende eeuw, toen het roofgoud uit Zuid-Amerika de Spaanse adel een schier oneindige bron voor de financiering van luxe consumptie gaf. Het gebeurde in Nederland in de jaren zeventig van de vorige eeuw toen het aardgas in Slochteren voor niets uit de grond kwam. De lonen stegen in ons land in die periode met gemiddeld elf procent per jaar, twee procent meer dan die in Duitsland. In tien jaar tijd verslechterde de concurrentiepositie van Nederland ten opzichte van onze oosterburen dus met twintig procent. Tussen 1973 en 1983 nam het aantal banen in de industrie dan ook af met vijfentwintig procent. Onder economen staat dit fenomeen niet voor niets bekend als *the Dutch Disease*, de Hollandse Ziekte.

Hoewel de grote lijnen – tekorten op de handelsbalans, stijgende loonkosten – in alle eurolanden hetzelfde waren, verschilden de details van land tot land. Het geval van Spanje is bijzonder leerzaam. Volgens alle officiële maatstaven was Spanje voor het begin van de Grote Recessie een van de netste jongetjes van de Europese klas. De overheidsfinanciën waren goed op orde. Het financieringstekort was laag, de staatsschuld lag als percentage van het nationaal inkomen zelfs onder die van Nederland of Duitsland. Zo bezien was er geen enkele reden om voor de financiële positie van Spanje te vrezen. Spanje werd in 2009 in

Nederland ten voorbeeld gesteld vanwege de prudentie van het bankentoezicht. Waar Nederland worstelde met de geldnood van zijn banken, hadden de Spaanse banken in de gouden jaren vóór de Grote Recessie op last van de toezichthouder juist grote reserves opgebouwd. Het kost weinig moeite om begrip op te brengen voor de verzuchting die de Spaanse premier José Luis Zapatero in 2010 tegenover zijn economische adviseurs uitte: "Nu heb ik alles gedaan wat jullie mij gevraagd hebben, waar komt deze ellende dan vandaan?"

Toch was dat niet helemaal waar. Spanje heeft niet alles gedaan wat de adviseurs het land eerder hadden aanbevolen. Spanje heeft nog altijd twee problemen. Allereerst de arbeidsmarkt. In Spanje is werken nog letterlijk een recht, zeker voor oudere werknemers. Hun baan is hun recht en daar kan niemand aankomen. De ontslagbescherming voor ouderen is goudgerand. De arbeidsmarkt functioneert daarom slecht. Bedrijven zijn zeer terughoudend om mensen in vaste dienst aan te nemen, uit angst dat ze er nooit meer vanaf zullen komen. Weliswaar heeft Spanje inmiddels een arbeidsmarkt op twee snelheden geïntroduceerd, voor jongeren is er nauwelijks ontslagbescherming, voor ouderen des te meer, maar met die dubbele arbeidsmarkt zijn de problemen nog niet echt opgelost.

Het tweede verborgen probleem van Spanje betreft de nauwe relaties van regionale banken met de regionale overheden. De financiële huishouding van de Spaanse regionale overheden ziet er op papier beter uit dan zij in werkelijkheid is. Maar deze regionale overheden hebben talloze impliciete garanties aan de lokale banken verschaft om de kredietstroom van die banken naar de onroerendgoedsector gaande te houden. De regionale banken speelden daarmee dezelfde rol voor de Spaanse regio's als de schaduwbanken voor de grote zakenbanken in de periode die vooraf ging aan de Grote Recessie. Op papier zag de balans van deze zakenbanken er gezond uit, in werkelijkheid bleken er allerlei verplichtingen te zijn verstopt op de balans van de schaduwbank. Toen de crisis begon, moesten deze zakenbanken die verplichtingen weer op hun balans terugnemen. Datzelfde gebeurde in Spanje. In de loop van 2009 moesten zes regionale banken hun activiteiten consolideren. Zij konden alleen overeind blijven door obligatieleningen uit te schrijven die door de regionale overheden gegarandeerd werden.

Terug naar de tekorten op de handelsbalans en de hoge loonstijgingen die kenmerkend waren voor alle probleemlanden. Het probleem is dat deze verschijnselen niet alleen kunnen worden opgevat als een teken van ontsporing, maar evengoed als een teken van succes. Er valt een logisch verhaal te vertellen dat ze tekenen zijn van een fantastische economische ontwikkeling. Voor Ierland gaat dat het beste. Het land heeft zich sinds 1987 stormachtig ontwikkeld. Dublin was toen een stad met veel leegstand en dichtgetimmerde huizen. In die periode groeide Ierland met 5,9 procent per jaar, terwijl het gemiddelde voor de EMU op 2,4 procent lag. De welvaart per hoofd van de bevolking was daarmee verdubbeld in vergelijking tot de rest van de Europese Unie (EU). Ierland had zich ontwikkeld van het arme achterblijvertje van de EU tot een van de rijkste leden van de club, en dat alles in minder dan twee decennia. De lonen in Ierland zijn in die periode dan ook fors gestegen, want arbeid was zoveel productiever geworden. Er waren fantastische kansen voor ondernemers. Wie bereid was te investeren kon goede zaken doen. De noodzakelijke kapitaalgoederen, zoals machines en vrachtauto's, konden uit het buitenland worden ingevoerd. Door al die investeringen, de invoer van kapitaalgoederen, ontstond er een tekort op de lopende rekening. Dat was een teken dat het goed met het land ging. Toen de komst van de EMU de Europese financiële markten verder had geïntegreerd, kon het kapitaal uit andere landen eindelijk zijn weg vinden naar de talloze kansrijke investeringsmogelijkheden in Ierland.

Helaas, ook voor Ierland zat er een addertje onder het gras. De groeispurt leidde tot groeistuipen. De spectaculaire groei van de welvaart zorgde voor een al even spectaculaire groei van de vraag naar almaar grotere en duurdere huizen. De huizenprijzen rezen de pan uit, mede als gevolg van de lage rentestand. Met de Grote Recessie kwam de ommekeer. De Ierse bouwproductie stortte in en de onroerendgoedportefeuille van de Ierse banken verloor een groot deel van zijn waarde.

Op een aantal punten waren de ontwikkelingen in Zuid-Europa in het eerste decennium van deze eeuw en die in Ierland in het laatste decennium van de vorige eeuw vergelijkbaar: snelle loonstijging, een tekort op de lopende rekening. Wat in Zuid-Europa ontbrak – rendement op investeringen bijvoorbeeld blijkend uit een stijging van de arbeidsproductiviteit – dat was er in Ierland wel, in ieder geval in eerste aanleg. We weten nu dat Zuid-Europa van het begin af aan op het verkeerde spoor zat, een spoor dat onvermijdelijk tot ontsporing zou leiden. De eerste tekenen van die ontsporing konden echter ook als tekenen van een geweldige inhaalslag worden beschouwd: een nieuw Ierland, maar nu aan de Middellandse Zee.

Welke conclusie kunnen we uit deze analyse trekken? De oorzaak van de Europese schuldencrisis wordt veelal gelegd bij onverantwoordelijk gedrag van politici in de perifere eurolanden. Zij zouden hun overheidsbegroting uit de hand hebben laten lopen. De opgelopen rente op de staatsschuld van deze landen suggereert dat dit inderdaad het geval is. Toch klopt dat beeld niet voor al deze landen. Voor Griekenland en in mindere mate ook voor Portugal is het wel juist, zij het dat het maar het halve verhaal is. De andere helft van het verhaal is dat de Griekse overheid het Griekse bankwezen in zijn ondergang heeft meegesleurd. Je zou dus net zo goed kunnen zeggen dat het probleem ligt in het gebrekkige toezicht op het bankwezen. Goed toezicht had moeten voorkomen dat het lokale bankwezen zoveel geld aan de lokale overheid had uitgeleend. Voor Spanje en Ierland geldt dit nog veel sterker: daar ligt de kern van de moeilijkheden niet in een uit de hand gelopen overheidsbegroting, maar louter in slecht toezicht op het bankwezen. Dat bankwezen mocht te veel in onroerend goed investeren. In Spanje werden de vastgoedleningen van het regionale bankwezen van stond af aan gegarandeerd door de overheid, in Ierland gebeurde dat pas nadat de crisis zich in 2008 in volle hevigheid had geopenbaard. Het eindresultaat was hetzelfde: de private schulden gingen in crisistijd geruisloos over in publieke handen. De belastingbetaler zit met de ellende. In Zuid-Europa gaat het dus veeleer om een bankencrisis dan om een crisis van de overheidsschuld.

Wat geldt voor Zuid-Europa, geldt evenzeer voor Noord-Europa. Want ook daar kijken bankiers met zorg naar hun balansen. Daarop staan flinke porties staatsobligaties en vastgoedkredieten van Zuid-Europese landen. De marktwaarde daarvan is inmiddels flink gedaald. Hoe is het mogelijk dat zij zoveel risico hebben genomen? Waarom hebben zij niet eerder onderkend dat enkele landen in Zuid-Europa op het verkeerde spoor zaten? Of zijn zij er impliciet van uitgegaan dat als de nood het hoogst was, de redding nabij was? Dit zijn vragen waarop wij in hoofdstuk 4 uitgebreid terugkomen. Voor het moment is het belangrijk om vast te stellen dat de Europese schuldencrisis eerder een bankencrisis is dan een crisis van overheidsschulden. Bovendien is die bankencrisis niet louter een Zuid-Europees probleem. Ook Noord-Europa is er zwaar door getroffen.

Bedenkingen van economen

Had niemand die problemen zien aankomen? Jazeker wel. De inkt van het verdrag was nog niet droog of een aantal economen begon te wijzen op de risico's van de EMU en de noodzaak van breed gedragen geloofwaardige instituties. Neem bijvoorbeeld Barry Eichengreen. In december 1991 bereikte de Europese regeringsleiders overeenstemming over het pad naar de EMU, zoals dat in het Verdrag van Maastricht zou worden vastgelegd. Amper een jaar na de bijeenkomst in Maastricht schreef Eichengreen een artikel waarin hij zich in alle redelijkheid afvroeg of het Verdrag van Maastricht gered zou moeten worden – *'should the Maastricht treaty be saved?'* Eichengreen is een internationaal bekende macro-econoom en een expert op het gebied van het internationale financiële systeem. Net als een aantal andere economen maakte hij zich zorgen.

Toen Eichengreen zijn stuk schreef, hadden de Denen het Verdrag van Maastricht net weggestemd en hadden de Franse kiezers met nipte meerderheid het verdrag gesteund. Alleen in Ierland hadden de kiezers het verdrag zonder problemen aanvaard. Het zou nog tien jaar duren voor de eerste euro's in onze portemonnees zouden belanden. Op dat moment was nog onbekend welke groep landen later aan de EMU zou gaan deelnemen. Er was een aantal toelatingscriteria afgesproken waaraan een land moest voldoen. Deze eisen moesten voorkomen dat landen met een hachelijke financiële positie aan de monetaire unie zouden deelnemen en de stabiliteit van de nieuwe munt in gevaar zouden brengen. Ze worden in hoofdstuk 5 besproken.

Wat waren de redenen dat Eichengreen aarzelde over het europroject? Een monetaire unie werkt het best voor landen met een grote onderlinge economische verwevenheid en een vergelijkbare ambitie in het economische beleid. Een muntunie is wat dat betreft net als een schoolklas. Als de verschillen tussen de leerlingen te groot zijn, komt het onderwijs in het gedrang. De docent weet dan niet meer of hij zijn lestempo moet afstemmen op de beste of op de traagste leerling. Nog erger wordt het als de ambities van leerlingen sterk uiteenlopen. Moet de docent dan rekening houden met de leerlingen die er met de pet naar gooien, of moet hij hen aan hun lot overlaten en het tempo afstemmen op diegenen die altijd hun huiswerk maken?

Het lestempo van de docent is goed vergelijkbaar met het monetaire beleid in de muntunie. En het ambitieniveau is het inflatietempo dat de centrale bankiers met dat monetaire beleid nastreven. Als een land een eigen munteenheid heeft, kan het land zelf kiezen welk inflatietempo het wil hanteren. Een hogere inflatie dan de buurlanden kan worden opgevangen door de wisselkoers van de munt geleidelijk te laten dalen. De hogere stijging van de loonkosten valt dan precies weg tegen de daling van de waarde van de munt, zodat het land zich op de wereldmarkt staande kan houden. Zweden heeft het in de jaren tachtig van de vorige eeuw steeds zo gedaan. In een muntunie kan dat niet, omdat alle lidstaten dezelfde munt hebben. Dus moeten alle landen over een wat langere termijn gemeten ook hetzelfde inflatietempo hebben. Niet voor niets was het inflatieniveau een van de toegangseisen tot de EMU die zijn opgenomen in het Verdrag van Maastricht.

Dit zegt nog niets over de vraag welk inflatietempo een muntunie dan het beste kan nastreven. De economie functioneert het beste bij een niet te hoge, maar vooral stabiele inflatie. Inflatie leidt tot onzekerheid en dat is slecht voor het investeringsklimaat. Ondernemers willen weten waar ze aan toe zijn als ze besluiten om te investeren. Los van die onzekerheid is een matige inflatie echter niet echt een probleem. Zolang lonen en prijzen maar gelijk oplopen, blijven de winsten intact. Een beetje inflatie kan dan soms een makkelijke manier zijn om te hoge looneisen van vakbonden weg te werken.

De inflatie beweegt mee met de stand van de conjunctuur. In een hoogconjunctuur loopt de inflatie op, in een recessie gaat zij weer omlaag. Centrale bankiers kunnen een daling van de inflatie afdwingen door de rente te verhogen. Daardoor wordt de economie afgeremd en stijgt de werkloosheid. Die hogere werkloosheid leidt tot lagere looneisen en dus tot minder inflatie. Hoe flexibeler de arbeidsmarkt werkt, des te sneller zullen de lonen en dus de inflatie reageren op een stijging van de rente. Een ambitieuze centrale bankier zal bij de minste of geringste stijging van de inflatie het monetaire beleid aanpassen door de rente flink te verhogen. Hoe flexibeler de arbeidsmarkt, des te ambitieuzer kan het monetaire beleid van de centrale bankier zijn. In een muntunie waarin de inflatie in de lidstaten niet parallel beweegt of waarin de flexibiliteit van de arbeidsmarkt van land tot land verschilt, zal het monetaire beleid nooit voor alle lidstaten precies passend kunnen zijn.

De ambitie van de monetaire autoriteiten van een muntunie blijkt dus vooral uit de inflatie die ze nastreven. Golven zij een beetje mee met de stemming van de leerlingen in de klas, afhankelijk van de looneisen van de vakbonden, of zijn ze juist de strenge schoolmeester, die te hoge looneisen afstraft met een renteverhoging? Duitsland was, samen met Nederland, de strenge schoolmeester. Andere lidstaten, Frankrijk, maar zeker ook Italië, deden liever wat water bij de wijn omwille van de lieve vrede met de vakbonden.

Wat werkt in de VS, waarom zou dat niet werken in Europa?

De VS zijn al sinds meer dan tweehonderd jaar een monetaire unie. Een vergelijking tussen de Verenigde Staten van Amerika en de Verenigde Staten van Europa is dus een nuttig hulpmiddel om de problemen van een monetaire unie beter te begrijpen. Wat zijn de verschillen tussen beide muntunies die maken dat het in Amerika op rolletjes loopt, terwijl het in Europa zo moeizaam gaat? In zijn artikel uit 1992 vergeleek Eichengreen de Amerikaanse economie met die van Europa. Met name keek hij naar de mate van samenhang in de economie van beide gebieden. Zijn conclusie was glashelder. Amerika was economisch gezien een eenheid. Als de conjunctuur in de ene staat tegenzat, dan was dat in andere staten niet veel anders. En dus bewoog ook de inflatie in de verschillende staten min of meer parallel. Eén monetair beleid voor de VS was dus geen enkel probleem. Die eenheid was in Europa ver te zoeken. De samenloop tussen de conjunctuur in de grootste lidstaat, Duitsland, met de andere lidstaten was veel kleiner. Bovendien verschilde de mate van samenhang sterk tussen lidstaten. Nederland, Denemarken, België en Frankrijk liepen nog redelijk in de pas met Duitsland. Voor het VK, Italië, Spanje, Ierland, Portugal en Griekenland was die samenhang er nauwelijks. Eén monetair beleid voor de Verenigde Staten van Europa? Dat lag in 1992 nog niet echt voor de hand.

Of de lidstaten in de muntunie nu een echte economische eenheid vormen of niet, economische mee- of tegenvallers zijn een vast gegeven. Lidstaten zullen zich daar hoe dan ook aan moeten aanpassen, linksom of rechtsom. Zolang een land een eigen munt heeft, gaat aanpassing relatief eenvoudig. Door de waarde van de munt te laten dalen, nemen de loonkosten af. Zodra een land lid is van een muntunie, valt dat mechanisme echter weg. Er is dan maar één oplossing: zorgen dat zo snel mogelijk via loonsverlaging de tering naar de nering wordt gezet. Lonen moeten zich binnen een muntunie dus gemakkelijk kunnen aanpassen aan de stand van de conjunctuur. Dat geldt in Europa sterker dan in Amerika, want in Amerika loopt het economische klimaat in de verschillende staten redelijk gelijk op, en is er dus minder behoefte aan aanpassingen van de verschillen van de salarisniveaus tussen staten. Je zou daarom verwachten dat de salarissen zich in Europa makkelijker aanpassen aan de wisselingen in het economische tij dan in Amerika. Helaas, toen Eichengreen zijn artikel schreef was het precies andersom. De salarissen van Amerikaanse werknemers reageerden sneller op de omslag in het economische tij dan die van hun Europese collega's.

Er is echter nog een andere manier waarop een lidstaat zich kan aanpassen aan de grillen van de conjunctuur. Als ondernemers werknemers moeten ontslaan om het hoofd te kunnen bieden aan economische tegenwind, dan kunnen die mensen thuis gaan zitten wachten tot ze een nieuwe baan krijgen aangeboden. Ze kunnen echter ook hun koffers pakken en naar een andere lidstaat verhuizen. Hier geldt nog sterker dan bij de aanpassing van lonen en salarissen: dat gaat in Amerika veel sneller dan in Europa. In de VS is het de gewoonste zaak van de wereld om van de ene staat naar de andere te verhuizen op zoek naar werk en nieuwe kansen. In Europa is dat alleen voor een kleine elite en een klein legertje van arbeidsmigranten weggelegd. De taalbarrières tussen de verschillende lidstaten van de eurolanden spelen daarbij ongetwijfeld een grote rol. Maar dat is niet de hele verklaring. In heel Duitsland wordt één taal gesproken. Toch is de arbeidsmigratie tussen de deelstaten van Duitsland veel kleiner dan die in de VS. Zelfs in ons eigen land, dat nog veel kleiner is dan Duitsland en waar de arbeidsmarkt dus meer als één markt zou moeten functioneren, is de werkloosheid in Groningen en Zuid-Limburg al decennialang veel hoger dan elders in het land, zonder dat dit heeft geleid tot grote stromen van migranten vanuit deze provincies naar regio's waar meer werk beschikbaar is.

Een staat kan zich aanpassen aan de conjuncturele tegenwind, doordat de lonen omlaag gaan of een deel van de mensen verhuist naar een andere staat. Er is echter nog een derde mogelijkheid: staten kunnen een soort verzekering afsluiten tegen conjuncturele tegenvallers. Zo zijn Nederlandse gemeenten voor dit risico verplicht verzekerd bij het Rijk. Hun inkomsten komen vooral van het Rijk. Die inkomsten worden bepaald door een vaste formule die afhangt van het aantal inwoners en nog wat andere factoren, maar niet van de belasting die in die gemeente wordt betaald. Toen in de jaren zestig en zeventig de textielindustrie failliet ging, hadden de oude textielsteden Tilburg en Enschede het decennialang erg moeilijk. Er werd weinig verdiend en dus werd er weinig belasting betaald. Echter, de inkomsten van die gemeenten werden daar slechts beperkt door geraakt. De tegenvaller was voor rekening van het Rijk. Het Rijk streepte de tegenvaller in de ene gemeente weg tegen meevallers elders, precies zoals dat gaat bij een normale verzekering. Hadden Tilburg en Enschede wel zelf die belastingtegenvaller moeten dragen, dan waren die gemeenten er nu veel slechter aan toe geweest. Beide steden waren dan ten tijde van de sluiting van de textielfabrieken verloederd, en die verloedering had toekomstig herstel erg bemoeilijkt.

Ook de werkloosheidsverzekering en de bijstand bieden een dergelijke verzekering tegen tijdelijke economische problemen. Doordat werklozen in tijden van economische tegenwind een uitkering houden, houdt ook de lokale middenstand in ieder geval nog een paar klanten over.

In de Verenigde Staten van Amerika bestaat een soortgelijk verzekeringssysteem tussen staten. De federale overheid in Washington incasseert de federale belastingen en financiert daarmee allerlei subsidies aan staten en hun inwoners. Precies zoals de gemeenten in Nederland, zijn staten daarmee deels verzekerd tegen de grillen van de conjunctuur. Economen hebben uitgerekend dat van iedere dollar waarmee het nationaal inkomen van een staat omlaag gaat, 20 tot 30 dollarcent wordt gecompenseerd door deze federale verzekering.

Hoe zit dat in de Verenigde Staten van Europa? Vervullen de structuurfondsen en de landbouwsubsidies daar een soortgelijke rol? Van geen kant. Deze geldstromen leiden tot een compensatie van ongeveer één cent voor iedere euro waarmee het nationaal inkomen van een lidstaat achteruitgaat. Wie is dus het beste bestand tegen de grillen van de economische conjunctuur, Amerika of Europa? Amerika wint die wedstrijd met

3-0: in Amerika passen de lonen zich makkelijker aan, verhuizen mensen sneller naar een andere staat en zijn staten beter verzekerd tegen conjuncturele tegenvallers. En bovendien was Europa in 1992 minder een economische eenheid dan Amerika en was er dus juist meer noodzaak voor lidstaten om zich aan te passen aan lokale conjuncturele tegenvallers. Maar de instituties waren daar minder op ingesteld.

Begrotingsbeleid en toezicht op banken

Behalve het gebrek aan samenhang in de Europese economie, zag Eichengreen nog meer gevaren in het ontwerp van de EMU zoals neergelegd in het Verdrag van Maastricht. Er was een groot risico dat zodra de monetaire unie eenmaal een feit was, de begrotingsdiscipline van de lidstaten te wensen over zou laten. Zolang individuele (lid)staten op financieel gebied zelf hun boontjes moeten doppen, keert de wal vroeg of laat het schip. De lidstaten moeten zélf lenen op de kapitaalmarkt. Dat gaat goed zolang de kapitaalmarkt er vertrouwen in heeft dat een land zijn schulden kan terugbetalen. Zodra dat vertrouwen in het geding is, schiet eerst de rente omhoog en wordt het daarna onmogelijk om nog nieuwe leningen te krijgen. Op deze manier werkt de kapitaalmarkt disciplinerend, want als (lid)staten er een potje van maken, betalen ze zelf het gelag.

In hoofdstuk 6 komen we uitgebreid op dit mechanisme terug als we ingaan op de vraag waarom landen überhaupt hun schulden zouden afbetalen. Hier schetsen we de voornaamste conclusies voor de vergelijking tussen de EU en de VS. In Amerika lijkt de disciplinerende werking van de kapitaalmarkt redelijk te functioneren. Diverse staten betalen verschillende rentevoeten, afhankelijk van hun financiële vooruitzichten. Staten met een hoge schuld of een lage groei betalen dus meer rente dan andere. Er gaat wel eens een staat failliet, maar dat zijn uitzonderingen.

Waarom zou dat mechanisme in Europa niet kunnen werken? Zoals gezegd, Amerikanen zijn eerder bereid te verhuizen. Dus als een staat in grote financiële problemen komt, dan nemen de bewoners van die staat de wijk naar andere staten. Amerikanen stemmen dus met de voeten. Als de belastingbetalers de benen nemen, wordt het nog moeilijker de schuld af te lossen. Kapitaalverschaffers weten dit en zijn dus extra voorzichtig om staten geld te lenen. De mobiliteit van de Amerikaanse belastingbetalers dwingt de lokale overheid dus tot financiële prudentie. Europeanen zijn daarentegen honkvast. Zij stemmen niet met de voeten en daardoor disciplineert de kapitaalmarkt minder goed. In Amerika begint de rente van een staat al snel op te lopen bij een staatsschuld van negen procent. In Europa hebben sommige lidstaten zelfs een staatsschuld van meer dan honderd procent.

Bovendien hakt Amerika al langer met dit bijltje. Door de ervaring wijs geworden hebben steeds meer staten procedures in hun grondwet opgenomen die financiële discipline moeten garanderen. Toen Eichengreen in 1992 zijn artikel schreef, hadden 46 van de 52 Amerikaanse staten een regel in hun grondwet die tekorten, anders dan voor investeringsprojecten, verbood. In dertig staten waren er grondwettelijke regels die staten verboden schulden aan te gaan. Alleen voor investeringsprojecten mochten staten een lening afsluiten en in veel gevallen dan nog alleen in een aparte juridische entiteit gebonden aan dat project. Grondwettelijke regels moeten het probleem van het slechte beheer van de staatsfinanciën verhelpen.

Voor Amerikaanse staten zijn dat soort strikte budgettaire regels bovendien gemakkelijker te hanteren. Immers, als het economisch tegenzit, wordt een deel van de tegenslag opgevangen door de federale overheid. Waar Europese lidstaten bijna de volledige rekening van economische tegenwind krijgen gepresenteerd, daar is een Amerikaanse staat redelijk tegen golven van de economische conjunctuur beschermd. Dat maakt het veel gemakkelijker om jaar op jaar een sluitende begroting te hebben. Strikte budgettaire regels zijn in Europa veel moeilijker te handhaven. Kortom, het handhaven van de budgettaire discipline van de lidstaten zou in de EMU veel moeilijker zijn dan in de VS.

Eichengreens laatste zorg was het toezicht op het bankwezen. Het Verdrag van Maastricht creëerde een Europese Centrale Bank (ECB) naar het evenbeeld van de Bundesbank. De diep ingebakken Duitse angst voor inflatie had ertoe geleid dat het monetaire beleid in Duitsland altijd zoveel mogelijk onafhankelijk van de politieke invloeden werd vastgesteld. De Duitse voorwaarde voor toetreding was dat de ECB dezelfde mate van onafhankelijkheid had. Die onafhankelijkheid maakte de ECB echter minder geschikt voor het toezicht op het Europese bankwezen. Toezicht op de banken kan alleen functioneren als er ook een *lender of last resort* is, een instantie die in crisistijd liquiditeit kan verschaffen aan banken in moeilijkheden. Als de ECB die functie zou krijgen, dan zou dat op gespannen voet met het doel van beperkte inflatie komen te staan, zo was de vrees. Het Verdrag van Maastricht voorzag dus in een EMU zonder Europees bankentoezicht.

Die combinatie was een groot gevaar, zo voorzag Eichengreen. In een monetaire unie zou het onderscheid tussen het bankwezen van de verschillende lidstaten geleidelijk vervagen. Deposito's en kredieten zouden niet meer gebonden zijn aan landsgrenzen. Omdat het toezicht wel langs landsgrenzen was georganiseerd, zou de toezichthouder onvermijdelijk op een achterstand komen te staan. Een toezichthouder kent zijn pappenheimers in eigen land, over de landsgrenzen is dat veel moeilijker. Bovendien zouden nationale toezichthouders gemakkelijk in de verleiding komen om hun nationale kampioenen zo min mogelijk voor de voeten te lopen in de Europese concurrentiestrijd. Lidstaten zouden met elkaar gaan concurreren om het meest liberale toezicht, met alle risico's die daar onvermijdelijk bij horen. Tot slot was er in de financiële wereld een trend gaande om risico's steeds verder over landsgrenzen te spreiden. Risicospreiding is goed, omdat het de kosten van kapitaal verlaagt. Het ondermijnt echter ook de prikkel van de schuldeisers om de kredietwaardigheid van de schuldenaar goed te monitoren. Het kredietrisico is daarvoor over te veel partijen gespreid.

Op het moment dat Eichengreen zijn artikel over het Verdrag van Maastricht schreef, woedde in drie Scandinavische landen – Zweden, Noorwegen en Finland – een heftige bankencrisis. Die crisis was het gevolg van een niet goed doordachte liberalisering van de kapitaalmarkt in de daaraan voorafgaande jaren. Ook elders in de wereld was liberalisatie van het kapitaalverkeer in eerste instantie vaak gepaard gegaan met ernstige problemen. Tegen de verleiding van goedkoop krediet is het moeilijk weerstand te bieden. Dat geldt echt niet alleen voor overheden. Ook bankiers die als gevolg van financiële deregulering aantrekkelijke marges kunnen halen en projectontwikkelaars die kunnen profiteren van de lage rente voor de financiering van hun bouwprojecten, vallen gemakkelijk aan de verleiding van goedkoop krediet ten prooi.

Eichengreen had dus al in 1992 grote aarzelingen bij de haalbaarheid van de EMU zoals die werd voorgesteld in het Verdrag van Maastricht, zowel wat betreft de samenhang van economie van Europa als wat betreft de voorgestelde instituties voor bankentoezicht en het handhaven van de begrotingsdiscipline van de lidstaten.

Wij weten nu dat Eichengreens zorgen terecht zijn geweest. Wie zijn analyse nogmaals de revue laat passeren, valt het op dat een deel van de onderwerpen die hij in 1992 heeft aangeroerd, in de huidige crisis niet zo van belang bleken te zijn, terwijl andere zorgen juist onderbelicht zijn gebleven. De trage aanpassing van de economie van individuele lidstaten aan de grillen van de economische conjunctuur blijkt in de tien jaar van het bestaan van de euro nauwelijks tot een rimpeling in de vijver te hebben geleid. Wat in Eichengreens artikel wat minder aandacht kreeg, maar wel tot grote problemen heeft geleid, is de liberalisering van de financiële markten en de overkreditering die daarvan het gevolg is geweest.

Eichengreen had overigens nog een extra reden tot zorg: de uitkomst van de referenda in Denemarken en Frankrijk. De Denen hadden het Verdrag van Maastricht weggestemd en de Franse kiezers hadden het met nipte meerderheid aanvaard. Die uitkomst gaf de voorstanders van de EMU een prikkel om de omvang van de bevoegdheden die de lidstaten aan de ECB of aan Brussel zouden moeten overdragen, zo minimaal mogelijk voor te stellen om zo het draagvlak voor het EMU-project niet in gevaar te brengen. Zoals we zullen zien is ook die zorg terecht geweest. Uiteindelijk zijn er onvoldoende bevoegdheden overgedragen aan Europese instellingen om effectief toezicht te kunnen houden op het Europese bankwezen en om de begrotingsdiscipline in de lidstaten te kunnen handhaven.

De Frans-Duitse as als stuwende kracht

De vraag is dus waarom, ondanks de bezwaren die door Eichengreen en anderen naar voren zijn gebracht, de regeringsleiders in vergadering bijeen in Maastricht er in 1991 voor gekozen hebben om het EMU-project toch door te zetten. Als de risico's van het project zo groot waren, waarom het dan toch gedaan? Wie dat wil begrijpen, moet zijn blik verbreden. De totstandkoming van de EMU werd niet louter gedreven door economische overwegingen. Politieke motieven speelden een minstens even grote rol.

In de jaren direct na de Tweede Wereldoorlog zijn de eerste initiatieven genomen om te komen tot een intensievere samenwerking tussen de Europese landen. Frankrijk en Duitsland wilden voorkomen dat zij elkaar na drie onderlinge oorlogen in amper tachtig jaar tijd nog een vierde keer op het slagveld zouden bestrijden. Die initiatieven leidde in 1952 tot de oprichting van de Europese Gemeenschap van Kolen en Staal. In 1956 vielen Engelse en Franse troepen Egypte binnen om hun belangen rond het Suezkanaal veilig te stellen. Militair was de operatie een succes, politiek was het een debacle. In het Witte Huis was President Dwight Eisenhower *not amused*. Hij was niet van tevoren geïnformeerd over de Engels-Franse actie en moest van dit ingrijpen niets hebben. Hij dwong beide landen zich van het Suezkanaal terug te trekken. Met de staart tussen de benen dropen zij af. Niemand kon er voortaan meer omheen: de VS waren de supermogendheid, de Europese landen stonden voortaan op het tweede plan. Thuis likten beide landen ieder afzonderlijk hun wonden. En dus trokken zij uit de gebeurtenissen ieder hun eigen conclusie.

Het VK concludeerde dat ze alleen met de VS samen nog een rol op wereldtoneel kon spelen en dat ze dus haar buitenlandbeleid in het vervolg nauw met Washington zou coördineren. Coördinatie met een grootmacht heeft aangename, maar ook minder aangename kanten, maar dat namen de Britten noodgedwongen voor lief. Het bondgenootschap met Amerika had prioriteit, Europa kwam pas op de tweede plaats. Om die reden zag Engeland in de jaren zestig af van toetreding tot Europese Gemeenschap. De prijs voor een politieke rol op het wereldtoneel was dat de Engelsen in de Europese discussie slechts een bijrol speelden. De Britten hebben deze strategische keuze door de jaren heen consequent volgehouden.

De Fransen trokken de omgekeerde conclusie. Onderschikking aan de VS ging hun trots te boven en dus stapte Frankrijk onder andere uit de NAVO. Er was voor Frankrijk maar één optie. Alleen door Europa meer inhoud te geven en vervolgens daarbinnen een leidende rol te spelen, kon het land in de wereld nog een rol van betekenis spelen. Het ontluikende bondgenootschap met Duitsland was daarvoor het ideale middel. De Frans-Duitse as was geboren. Deze uiteenlopende strategische keuzes van Engeland en Frankrijk hebben tot op heden de politieke verhoudingen in Europa bepaald.

Tegen die achtergrond ontstonden vanaf 1960 de eerste ideeën over een monetaire unie. Dat leek toen nog een toekomstbeeld voor dagdromers. Maar de dagdroom heeft alle stormen doorstaan. De droom is sindsdien nooit meer uit de Europese discussie verdwenen. Barry Eichengreen had in 1992 dus de geschiedenis tegen toen hij zich afvroeg of het Verdrag van Maastricht wel gered moest worden. Sinds de Suez-crisis waren politieke motieven een enorme stuwende kracht achter de Europese integratie.

In de jaren vóór 1992 bestond er onder Europese beleidseconomen een tegenstelling tussen 'economisten' en 'monetaristen'. In deze context had monetarisme niets te maken met de Chicago-school van Milton Friedman. Monetaristen waren de mensen die meenden dat je het beste kon beginnen met een monetaire unie, en dat de convergentie van de economie en de economische politiek daar vanzelf op zou volgen. Een monetaire unie was een meer technische kwestie. Door daar te beginnen, konden de ingewikkelde politieke vragen over begrotingsbeleid voorlopig worden vermeden. Pas als de monetaire integratie een succes was, zou het politieke draagvlak voor budgettaire integratie ontstaan.

Economisten, met name in Duitsland en Nederland, vonden dat een monetaire unie juist alleen een sluitstuk kon zijn van een integratieproces. Zonder economische convergentie kon monetaire integratie niet slagen. Belangrijker nog, het budgettaire beleid van landen moest op elkaar afgestemd zijn. Zonder eensgezindheid over de uitgangspunten van staatsschuld, financieringstekort en begrotingsbeleid zou een gemeenschappelijke inflatiedoelstelling en dus een gemeenschappelijk monetair beleid onhaalbaar zijn. Het is de paradox van de geschiedenis dat de nazaten van economisten nu pleiten tegen verdere integratie van het economische beleid, uit angst dat landen met een solide beleid worden meegezogen in het Zuid-Europese moeras.

Desalniettemin werden in de loop van de jaren zeventig en tachtig geleidelijk stappen gezet naar afstemming van het monetaire beleid. Zo ontstond 'de Slang'. De leden van de Europese Economische Gemeenschap coördineerden hun wisselkoersbeleid. Hun valuta zouden voortaan alleen nog mogen fluctueren binnen een bandbreedte ('de Slang') rond een centrale spilkoers. Werd de onder- of bovengrens van die bandbreedte geraakt, dan waren de centrale banken verplicht om in te grijpen door de eigen valuta aan te kopen of te verkopen. Toen Engeland in 1973 alsnog lid werd van de Europese Unie, ging het ook deelnemen aan de Slang.

Frankrijk had voor de invoering van de Slang altijd een hoger inflatietempo gehad dan Duitsland. Met een flexibele wisselkoers was dat geen probleem. Met een geleidelijke daling van de wisselkoers van de Franse frank ten opzichte van de Duitse mark kon dit verschil in inflatie precies worden gecompenseerd. Een onontkoombare consequentie van de invoering van de Slang was dat de wisselkoers tussen de frank en de mark voortaan (bijna) vastlag. Dus moest het inflatietempo in beide landen naar elkaar toe groeien. De eerste jaren na de invoering van de Slang kwam daar weinig van terecht. Met enige regelmaat moest de spilkoers van de Franse frank neerwaarts worden aangepast, omdat de inflatie in Frankrijk nog steeds hoger lag dan die in Duitsland. Zowel de kosten van noodzakelijke steunaankopen om de frank binnen de bandbreedte van de Slang te houden, als de onvermijdelijke periodieke verlaging van de spilkoers van de frank, waren de Fransen een doorn in het oog. Zij hadden het gevoel dat Duitsland zijn eigen lijn volgde en dat de kosten van het naar elkaar toe groeien van het inflatietempo geheel voor Franse rekening kwamen. Een einde maken aan die in Franse ogen oneerlijke verdeling van kosten was een belangrijke drijfveer voor de aanhoudende discussie over verdere monetaire integratie. Ondertussen kroop de Slang moeizaam verder. En het moet gezegd worden: geleidelijk aan groeide het inflatietempo in Duitsland en Frankrijk naar elkaar toe. Maar tientallen jaren discussiëren zou op volstrekt onverwachte wijze een ontknoping krijgen.

De val van de muur

Afgeladen vol was het terrein van de West-Duitse ambassade in Boedapest tijdens de zomermaanden van 1989. Talloze Oost-Duitsers hadden zich daar verzameld, omdat zij in eerste instantie via de Oostenrijks-Hongaarse grens, en in tweede instantie via de West-Duitse ambassade het moederland dachten te kunnen ontvluchten. Voor de Oost-Duitse regering was het een beschamende vertoning, een aantasting van haar moreel gezag die ze niet zou overleven. Het land was failliet, zowel moreel als economisch. Enkele maanden later viel de Berlijnse muur. Wat volgde was een massale uittocht van Oost-Duitsers naar West-Duitsland, op weg naar het *Wirtschaftswunder*. Plotseling bleek dat de Berlijnse muur niet alleen een bescherming van Oost-Duitsland tegen de uittocht van zijn bevolking naar West-Duitsland was geweest. Het was ook een bescherming van West-Duitsland tegen een legioen van goedkope arbeidskrachten uit Oost-Duitsland. De situatie was onhoudbaar, de Duitse eenwording was onontkoombaar.

De Duitse bondskanselier Helmuth Kohl zocht de Duitse eenwording, maar wilde voorkomen dat Duitsland zich daarmee opnieuw zou loszingen van de bondgenoten aan zijn westgrens. Een definitieve inbedding van Duitsland in Europa was zijn doel. De Franse president François Mitterand deelde Kohls beoordeling, zowel wat betreft de onontkoombaarheid van de eenwording als de noodzaak om Duitsland te binden aan West-Europa. En hij zag zijn kans om de Franse ergernis over het functioneren van de Slang voor eens en voor altijd op te lossen. Immers, de EMU was binnen handbereik. De Engelse premier Margaret Thatcher moest niets hebben van de Duitse eenwording en evenmin van een monetaire unie. Zij vond een verdeeld Duitsland een goede verzekering tegen een herhaling van de ellende van 1914-1945. In een poging een herhaling van de geschiedenis te voorkomen, herhaalde zij de geschiedenis. De ijzeren dame probeerde de vooroorlogse *Entente*, het bondgenootschap tussen Engeland en Frankrijk ten tijde van beide wereldoorlogen, nieuw leven in te blazen. Zij probeerde Mitterand te winnen voor het idee om gezamenlijk de Duitse eenwording te blokkeren. Frankrijk hield echter vast aan zijn bestendige koers sinds het debacle in Suez. Het naoorlogse Frans-Duitse bondgenootschap zegevierde over de vooroorlogse Entente. Het VK kwam daardoor in de Europese discussie opnieuw op het tweede plan terecht.

De weg naar de EMU zou nog een paar bloedstollende episodes kennen. Daarover meer in hoofdstuk 3. Voor Kohl en Mitterand stond het einddoel vanaf dat moment echter vast. De bedenkingen van een aantal economen waren nuttige aandachtspunten voor de uitwerking van het Verdrag van Maastricht, die door een commissie van centrale bankiers werd gedaan. Maar het waren uiteindelijk niet meer dan economische bedenkingen bij wat uiteindelijk een politiek project was: Duitsland moest onomkeerbaar onderdeel worden van West-Europa. Geen enkel economisch argument kon Kohl en Mitterand nog van dat grotere doel afhouden. En bij alle politieke onrust die Europa nu bedreigt, is de Frans-Duitse as tot op de dag van vandaag de hoeksteen van het Europese beleid in zowel Parijs als Berlijn. Wat dat betreft hebben Kohl en Mitterand in Angela Merkel en Nicolas Sarkozy waardige opvolgers gevonden.

Het vervolg van onze zoektocht

Hiermee zijn de historische achtergronden van de Europese schuldencrisis geschetst. Hoe ziet onze zoektocht naar oorzaken van die crisis er verder uit? De eerste vervolgstap is dat wij in kaart brengen wat de Europese samenwerking de deelnemende landen tot nog toe heeft opgeleverd. We maken daarbij onderscheid naar de effecten van de invoering van de interne markt en het wegnemen van barrières op de markten voor goederen, arbeid en kapitaal enerzijds en naar de effecten van de invoering van de euro anderzijds.

Vervolgens gaan we dieper in op de fouten in het ontwerp van het eurogebied die in dit hoofdstuk al in kort bestek de revue zijn gepasseerd, namelijk de gebrekkige organisatie van het toezicht op financiële instellingen en de tekortschietende afspraken voor het handhaven van de begrotingsdiscipline van de lidstaten van de EMU. Het zal blijken dat een centralisatie van het toezicht op het bankwezen op Europees niveau en een herkapitalisatie van het bankwezen noodzakelijke voorwaarden zijn om deze crisis de baas te worden.

De volgende stap in onze zoektocht is een nadere analyse van de problemen met de terugbetaling van overheidsschulden binnen een monetaire unie. Die terugbetaling blijkt vooral een politieke keuze. Vanuit dat gezichtspunt is het eigenlijk verbazingwekkend dat zoveel landen hun schuld gewoon terugbetalen. Het is dus nauwelijks verrassend dat het vertrouwen van financiële markten in die terugbetaling labiel is. Vandaar dat een muntunie een *lender of last resort* nodig heeft om landen die het vertrouwen van de financiële markten verspeeld hebben, de kans te geven hun reputatie te herstellen. Zonder een dergelijke *lender of last resort* valt een muntunie bij de eerste de beste crisis aan chaos ten prooi. Dat is precies op dit moment het probleem. Echter, niet voor alle landen geeft een beetje adempauze voldoende respijt om het vertrouwen van de financiële markten te herstellen. Met name voor Griekenland is een afwaardering van de schuld het enige alternatief. Door een beslissing daarover uit te stellen, is de verwarring op de financiële markten alleen maar vergroot.

De laatste stap in onze analyse betreft de contouren van een oplossing. De sleutel daarvan ligt in Duitsland, de grootste lidstaat. Maar Duitsland zit gevangen in tegenstrijdigheden. Dat maakt het vinden van een oplossing moeilijk. Overdracht van bevoegdheden op het gebied van bankentoezicht en preventief begrotingsbeleid zijn dringend noodzakelijk, evenals de instelling van een Europese *lender of last resort* met de juiste bevoegdheden en een adequaat budget, zowel voor banken als voor landen. Echter, weinig lidstaten lopen daarvoor warm, Duitsland nog wel het minst. Europa zit dus in een spagaat. Er is weinig draagvlak voor de overdracht van bevoegdheden naar Europa, maar zonder die bevoegdheden is het eurogebied ten dode opgeschreven. Wie kan Europa uit deze spagaat bevrijden?

Verder lezen

André Szász, 1999, *The Road to European Monetary Union*, New York, St. Martin's Press Inc.
Een prachtige terugblik op de totstandkoming van de Europese Monetaire Unie

Lars Johnung, 2009, 'Lessons from the Nordic Financial Crisis', *The Great Financial Crisis in Finland and Sweden: The Nordic Experience of Financial Liberalization*, edited by Lars Jonung, Jaakko Kiander and Pentti Vartia, Edward Elgar, www.aeaweb.org/aea/2011 conference/program/retrieve.php?pdfid=413.
De lessen uit de Scandinavische bankencrisis rond 1991.

Barry Eichengreen, 1992, *Should the Maastricht treaty be saved,* Princeton Studies in International Finance, nr. 74, https://www.princeton.edu/~ies/IES_Studies/S74.pdf.
Een vroeg overzicht van de belangrijkste risico's van het Verdrag van Maastricht.

David Folkerts-Landau, Peter M. Garber, 1992, 'The European Central Bank: A Bank or a Monetary Policy Rule', NBER Working Papers 4017, http://www.nber.org/papers/w4016.
Welke gevolgen heeft de integratie van financiële markten voor het toezicht op banken?

Lans Bovenberg en Andre de Jong, 1996, 'De EMU: het hoe en waarom', *ESB*, nr. 4057, pp. 420, http://esbonline.sdu.nl/esb/images/810420_tcm445-229627.pdf.
Oude CPB-studie naar de institutionele gebreken van de voorgestelde EMU.

Kash Mansori, 2011, 'What Really Caused the Eurozone Crisis?' (Part 1), The Street Light blog, http://streetlightblog.blogspot.com/2011/09/what-really-caused-eurozone-crisis-part.html.
Een scherpe blog: de oorzaak van de crisis ligt niet alleen bij uit de overheidsbegroting van de perifere eurolanden.

Voor meer achtergronden bij dit hoofdstuk en informatie over de onderwerpen, zie www.cpb.nl/publicatie/europa-in-crisis.

2
Made in Europe

'Het alternatief is voor de meeste landen en zeer speciaal voor Nederland bepaald minder aantrekkelijk.'

JOSEPH LUNS, NA DE ONDERTEKENING VAN HET VERDRAG VAN ROME

- De interne Europese markt heeft tot grote welvaartswinst geleid, vooral voor Nederland. Het voordeel is één maandsalaris. Dit voordeel neemt in de loop der jaren verder toe.
- Die welvaartswinst is het gevolg van meer handel, meer concurrentie, specialisatie, innovatie en schaalvergroting.
- De interne Europese markt heeft de bevoordeling van nationale kampioenen door de nationale overheden veel moeilijker gemaakt.
- De inperking van de nationale autonomie die daarvoor nodig was, heeft de Europese instituties kwetsbaar gemaakt voor politieke kritiek vanuit de lidstaten.

Op 25 maart 1957 werd in het Capitolijnse museum van Rome opnieuw geschiedenis geschreven. Het museum vol archeologie en kunst uit de Oudheid en de Renaissance ligt op de heuvel het Capitool. Vroeger stond daar de belangrijkste tempel van Rome, nu ligt er een mooi symmetrisch plein uit de zestiende eeuw, ontworpen door Michelangelo. Daar ondertekenden België, Duitsland, Frankrijk, Italië, Luxemburg en Nederland het Verdrag van Rome voor de oprichting van de Europese Economische Gemeenschap (de EEG, voorloper van de Europese Unie). Het was een serieuze aangelegenheid met veel mannen in donkere pakken. Het Polygoonjournaal noemde het een 'gewichtige schrede op weg naar de eenwording van Europa'. Voor Nederland tekende ondermeer de minister van Buitenlandse Zaken, Joseph Luns. Volgens Luns zou het verdrag voor Nederland een toekomst brengen 'die zijn burger stoffelijk welzijn zal brengen en tevens een grotere bloei van geestelijke en culturele waarden mogelijk zal maken'. Te midden van de geschiedenis van het grote Romeinse Rijk werd de basis gelegd voor een nieuw economisch rijk van 27 landen en 500 miljoen consumenten, anno 2011. Over zoveel onderdanen hadden zelfs de meest megalomane Romeinse keizers niet durven dromen. In het Verdrag spraken de zes oprichters af verbetering van de welvaart en nauwere samenwerking na te streven. De te creëren gemeenschappelijke markt was het belangrijkste element. Wie had toen kunnen bevroeden dat in 2011 Europa, terecht of ten onrechte, zou worden gewantrouwd van Athene tot Helsinki, van Berlijn tot Washington DC?

Het Verdrag van Rome vormde de basis van de verdere ontwikkeling van de EEG en later de EU. Voor de economische samenwerking was vooral de ontwikkeling van de interne markt belangrijk. Die interne markt zorgde ervoor dat de nationale economieën steeds meer met elkaar verweven werden. Europa is tegenwoordig vooral negatief in het nieuws vanwege de schuldenproblemen, maar tot voor kort werd de Europese samenwerking en in het bijzonder de interne markt door veel mensen als iets positief gezien. En terecht, dit hoofdstuk laat zien dat de interne markt tot veel meer economische activiteit en een hoger inkomen heeft geleid, juist ook in Nederland. Daarnaast zijn vanwege de toegenomen Europese concurrentie producten goedkoper geworden en is het aanbod groter geworden. Het is van belang deze verworvenheden te behouden en uit te breiden. Mits goed vormgegeven zou de euro ons extra voordeel kunnen opleveren, bovenop de winst van de interne markt. De extra voordelen van de gemeenschappelijke munt staan centraal in hoofdstuk 3. In dit hoofdstuk staan de opbrengsten van de interne markt centraal.

Cruciaal in het Verdrag van Rome zijn de zogenoemde vier vrijheden: het vrije verkeer van goederen, diensten, kapitaal en mensen binnen de unie. Deze vrijheden waren een breekijzer om allerlei barrières tussen de EU-landen te verwijderen of te verkleinen. Dat kon gaan om importtarieven, discriminatie van buitenlandse investeringen, of de beperkingen om in een ander EU-land te werken. Ook nu nog staan de vier vrijheden aan de basis van veel beleid om de interne markt te versterken. Vaak bepaalden politieke initiatieven de verdere integratie tussen de landen en zijn wetten aangenomen, zoals de Europese Akte in 1985 en de Dienstenrichtlijn in 2006, om nog meer barrières te slechten. Daarnaast speelde het Europese Hof van Justitie een belangrijke rol, met gerechtelijke uitspraken over het vrije verkeer, waardoor landen werden verplicht veel barrières op te ruimen.

Een bekend voorbeeld is het arrest Cassis de Dijon uit 1979. Cassis de Dijon is een likeur waarvoor in Duitsland een minimum alcoholpercentage van vijfentwintig geldt, terwijl de Franse Cassis de Dijon tussen de vijftien en twintig procent alcohol bevat. Volgens de Duitse wetgeving kon de Franse Cassis de Dijon dus niet op de Duitse markt komen. Dit werd aanhangig gemaakt bij de rechtbank met een beroep op het vrije verkeer van goederen. Na jaren procederen oordeelde het Europese Hof van Justitie dat Duitsland de invoer van Franse Cassis de Dijon niet mocht verbieden. De consumenten moesten de mogelijkheid hebben om levensmiddelen uit andere lidstaten aan te schaffen op voorwaarde dat deze legaal zijn en dat er geen belangrijke redenen in verband met gezondheid of milieu zijn die de invoer ervan verbieden. Deze interpretatie van het vrije verkeer betekende het einde van veel handelsbelemmeringen en een impuls voor de interne markt. Met deze en een aantal vergelijkbare uitspraken stelde het Hof dat het recht van het vrije verkeer van goederen, diensten, arbeid en kapitaal normaal gesproken nationale regels en wetten domineert, zelfs als deze regels niet het expliciete doel hadden om handel, buitenlandse investeringen of werknemers uit andere lidstaten tegen te gaan.

De ontwikkeling van de interne markt

De EEG bouwde voort op de Europese Gemeenschap voor Kolen en Staal (EGKS) die in 1952 werd opgericht. Amper vijf jaar na het einde van de Tweede Wereldoorlog lanceerde Robert Schuman als Franse minister van Buitenlandse Zaken samen met Jean Monnet het Schumanplan waarmee zij verzoening tussen Duitsland en Frankrijk beoogden. Het voorstel voor de EGKS was in de ogen van Monnet en Schuman slechts een eerste stap op weg naar de integratie van een aantal West-Europese landen. Die integratie zou stabiliteit, veiligheid en welvaart moeten brengen. Na economische integratie zouden sociale, culturele en politieke integratie moeten volgen. Monnet heeft de eerste vier jaar de EGKS geleid en is later door de Europese staatshoofden en regeringsleiders in de Europese Raad uitgeroepen tot ereburger van Europa. Dat is een zeldzame eer, want behalve Monnet heeft alleen de voormalige bondskanselier van Duitsland, Helmuth Kohl, deze eretitel ontvangen. Schuman is geen ereburger geworden, maar het plan voor de oprichting van de EGKS draagt wel zijn naam, net als het centrale plein van de Europese instellingen in Brussel, waar onder meer de Europese Commissie en de Europese Raad van Regeringsleiders zijn gevestigd.

De EGKS beperkte zich tot kolen en staal, met het Verdrag van Rome werden veel andere markten geïntegreerd. In 1967 werd de handel tussen landen van de Gemeenschap vereenvoudigd door verschillen in indirecte belastingstelsels geleidelijk te verminderen. De verschillen in systemen waren voor de exporterende bedrijven een administratieve last. Besloten werd dat alle lidstaten het Franse btw-systeem zouden gebruiken. De hoogte van de btw-tarieven werd door de lidstaten zelf bepaald binnen bepaalde bandbreedtes. Zo is het standaardtarief in Duitsland en Nederland 19 procent en in Denemarken en Zweden 25 procent. 1967 was ook het jaar van het fusieverdrag. De EGKS en de EEG werden onder één bestuur geplaatst in plaats van onder aparte besturen. Het dagelijkse bestuur kwam terecht bij de Europese Commissie (EC). Zij regelde de dagelijkse gang van zaken, handhaafde de verdragen en initieerde wetten. Die wetten moesten door de Europese Raad of Raad van Regeringsleiders worden goedgekeurd en later kreeg het Europees Parlement ook bevoegdheden om wetten goed te keuren of te wijzigen. In 1968 kwam een douane-unie tot stand tussen de zes EEG-landen en werden de invoerrechten op geïmporteerde goederen uit andere lidstaten afgeschaft. Nu werd vrije grensoverschrijdende handel écht mogelijk. Bovendien werd door de EEG een gemeenschappelijk importtarief voor invoer vanuit landen van buiten de EEG bepaald. Toch was de interne markt nog niet perfect. Er werd dan wel geen importtarief meer geheven als goederen geëxporteerd werden, maar landen stelden nog wel steeds hun nationale eisen aan de kwaliteit en veiligheid van goederen. Dat bleek in de praktijk nog steeds een forse hindernis te zijn voor internationale handel, want een exporteur was verplicht voor zijn goederen te voldoen aan de eisen van alle markten waarop hij actief was. Dat betekende dat een product voor een nieuwe afzetmarkt vaak iets aangepast moest worden. Een bedrijf moest hiervoor extra kosten maken, bovendien was er minder standaardisatie in het productieproces mogelijk. Op die manier bleef het moeilijk te profiteren van de schaalvoordelen van een grotere productie.

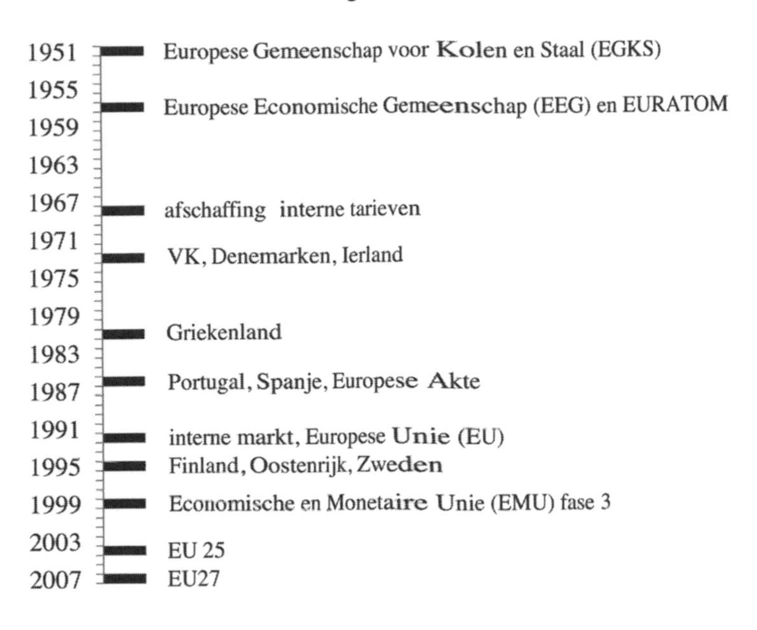

De douane-unie bleek dus nog niet de grensoverschrijdende handel te brengen die ervan werd verwacht en met de economische crisis in de jaren tachtig bleek dat meer integratie nodig was. Verdere integratie werd in Europa gezien als een belangrijke stap voor de verdere ontwikkeling van de Europese economie. Met het 'witboek voor de voltooiing van de interne markt' werd een nieuwe stap gezet op weg naar verdere integratie: alle handelsbarrières tussen de lidstaten zouden vóór 1992 verwijderd moeten zijn – dan was er echt sprake van één markt. Een belangrijke stap was de Europese Akte van 1986, omdat daarin werd vastgelegd dat unanimiteit in de Europese Raad niet langer vereist was. De voorstellen tot harmonisering van productregulering konden niet meer door een enkele lidstaat worden tegengehouden. Zelfs Margaret Thatcher, toenmalig premier van het VK en bekend om haar sceptische houding tegenover Europa, was overtuigd van de voordelen van de interne markt:

"De gemeenschap zet zichzelf nu op een pad naar de negentiger jaren, een pad dat het voor Europa mogelijk moet maken om met de VS en Japan te concurreren ..... We moeten de volledige voordelen van de interne markt realiseren". De interne markt was een succes. Dat bleek bijvoorbeeld toen in 1992 zelfs buitenstaanders, verenigd in de Europese vrijhandelszone (EFTA), toegang wilden tot de interne markt. Finland, Oostenrijk en Zweden kozen voor een volledige EU-lidmaatschap in 1995 en de overige EFTA-leden IJsland, Noorwegen, Liechtenstein en Zwitserland kozen alleen voor de interne markt.

De voltooiing van de interne markt in 1992 was een van de belangrijkste wapenfeiten van de Europese Commissie (EC), onder leiding van Jacques Delors. Delors zelf was een van de grootste inspiratoren van de Europese Akte en later van de Economische en Monetaire Unie. Dat was niet verwacht bij zijn aantreden in 1985. De vorige Europese Commissie was niet erg daadkrachtig en voorstellen voor verdere integratie konden niet op veel draagvlak rekenen. Daarnaast had de Franse president François Mitterrand de post van commissievoorzitter geclaimd voor Frankrijk. Daar was Thatcher niet erg blij mee, maar Mitterrand kwam met twee kandidaten. Thatcher en de andere regeringsleiders kozen voor Delors. Hij was de Franse minister van Financiën en Monetaire Zaken. Later heeft de conservatieve Thatcher die keuze overigens betreurd, toen ze felle aanvaringen kreeg over sociale- en arbeidsrechten op Europees niveau. Delors voorzag steeds meer Europa en minder nationale regelgeving. Hij was in feite een echte federalist. Nadat Delors tijdens een toespraak in 1988 voor de Engelse vakbeweging Europese rechten aankondigde, sloeg Thatcher een paar dagen later keihard terug tijdens een speech in Brugge. Ze zei dat het VK nooit onderdeel van een Europese superstaat zou willen zijn en niet voor de interne markt getekend had met het doel onderdeel van Europa te worden. Het VK, lid sinds 1973, tekende later dan ook niet de sociale paragraaf van het Verdrag van Maastricht.

En daar bleef het niet bij. Voortbouwend op de Europese Akte stelden de regeringsleiders in 1988 ook een commissie in om de vorming van een monetaire unie te onderzoeken. Thatcher ging akkoord omdat ze hoopte dat een commissie met de presidenten van de centrale banken nooit tot een oplossing zou komen. Vooral de presidenten van de Engelse en Duitse centrale bank zouden nooit akkoord gaan, was haar gedachte. Ze accepteerde knarsetandend het voorzitterschap van Delors, *off all people*. Dat bleek een fatale vergissing van de Britse premier. Delors zag mogelijkheden om de bankiers aan een monetaire unie te binden, inclusief de Engelse en Duitse bankpresidenten, en Thatcher werd geconfronteerd met een rapport waarvan ze nooit gewild had dat het zou verschijnen.

Delors kreeg zo de mogelijkheid het baanbrekende rapport te produceren dat uiteindelijk tot het Verdrag van Maastricht (1992) zou leiden. Het eerste plan voor een gemeenschappelijke munt dateerde al uit 1970. Daarna hebben meerdere plannen het daglicht gezien, maar die zijn nooit ver gekomen, totdat het Delors-rapport verscheen. Er was inmiddels ook zoveel draagvlak voor het rapport dat het VK niet zijn veto wilde gebruiken. Het had tenslotte ook met alle voorgaande stappen ingestemd, inclusief de oprichting van de Commissie Delors. De Britten kozen er uiteindelijk voor om niet aan de Economische en Monetaire Unie (EMU) mee te doen.

De totstandkoming van de EMU bestond uit drie stappen. De acceptatie van het Delors-rapport betekende ook direct een stappenplan en wetgeving voor de EMU. De eerste stap was dat de nationale economieën zich in dezelfde richting moesten ontwikkelen ('convergeren'); samenwerking tussen centrale banken en vrij kapitaalverkeer. De tweede stap werd in 1994 gezet met de oprichting van het Europese Monetaire Instituut. Monetair beleid werd gecoördineerd en de nationale centrale banken werden onafhankelijk van de overheid. Het monetaire instituut ging op in de Europese Centrale Bank (ECB) en de wisselkoersen tussen de deelnemende landen werden vastgezet. Dat waren onderdelen van de derde stap. Het eindresultaat was de invoering van de girale euro in 1999 en drie jaar later ook in de vorm van munten en bankbiljetten. De Nederlandse gulden, Duitse mark, Franse franc en andere Europese munten werden vervangen door de euro. Landen als het VK, Denemarken en Zweden kozen en kiezen er nog steeds voor hun eigen munt te behouden. De meeste regeringsleiders dachten hier echter anders over. Zij zagen in de vereenvoudiging van het betalingsverkeer een belangrijke stimulans voor de groei van handel en investeringen.

De interne markt levert meer handel

Het doel van al deze stappen was onder meer om de handel tussen de Europese landen te bevorderen, het vrije verkeer van goederen en diensten. Dat is overduidelijk gelukt. De handel tussen de bestaande EU-lidstaten en met de nieuwe lidstaten is sterk gegroeid sinds de jaren zestig van de vorige eeuw. De uitbreiding van de EU met nieuwe lidstaten had twee effecten. Het eerste effect ligt voor de hand: de handel tussen EU-landen nam toe doordat bestaande handelsstromen die vóór de uitbreiding nog over de EU-grenzen verhandeld werden, na de uitbreiding tot de intra-EU-handel werden gerekend. Eerst viel de Nederlandse handel met Polen niet onder de intra-EU-handel, maar na de EU-toetreding van Polen in 2004 wel. Maar hier was het de beleidsmakers en politici niet om te doen. Het tweede toetredingseffect was dat in de eerste jaren na toetreding de handel met en tussen de nieuwe lidstaten geleidelijk toenam. De handel tussen Denemarken, Ierland en het VK onderling en hun handel met de oude EU-lidstaten nam tussen hun toetreding in 1973 en 1982 met zes procent per jaar toe, terwijl de handel tussen de oude lidstaten in dezelfde periode gemiddeld met nog geen twee procent steeg. Na de uitbreiding met Spanje en Portugal gold iets soortgelijks. De handel tussen de oude lidstaten nam nauwelijks toe tussen 1986 en 1995 en die met en tussen Spanje en Portugal met gemiddeld zeven procent. Een uitzondering vormde de toetreding van Oostenrijk, Zweden en Finland in 1995. Deze landen waren al vóór toetreding sterk geïntegreerd met de twaalf bestaande lidstaten van de EU, mede omdat zij al veel interne marktregelgeving hadden overgenomen.

De interne markt in Europa heeft dus geleid tot veel meer handel. Om te bepalen hoeveel dat is geweest, moeten we eerst een inschatting maken hoe Europa eruit zou zien zonder interne markt. Ook zonder interne markt zouden Nederland en Duitsland met elkaar handelen, alleen minder intensief. Ook zonder interne markt zouden er handelsbarrières zijn verwijderd. Dat is immers ook wereldwijd gebeurd gedurende meerdere handelsliberalisatierondes, zoals de Uruguay-ronde van de Wereldhandelsorganisatie (WTO). Wat echter veel minder zou zijn gebeurd, is de ontmanteling van allerlei andere belemmeringen voor de handel. Om het belang van de interne markt vast te stellen, vergelijken we de handelsontwikkeling tussen de EU-landen met die tussen andere landen en tussen andere en EU-landen.

We maken gebruik van een methode die in de jaren zestig is ontwikkeld door Jan Tinbergen, de eerste Nobelprijswinnaar voor de economie en de eerste directeur van het Centraal Planbureau (CPB). Naarmate een land een groter nationaal inkomen heeft, produceert het meer. En dus kan het land ook meer exporteren. Landen met een hoger nationaal inkomen kunnen ook meer besteden en meer importeren. Hoe groter dus het nationaal inkomen van zowel de ene als de andere handelspartner, des te hoger is hun bilaterale handel. Daarnaast gaat handel gepaard met transportkosten. Hoe groter de afstand tussen landen, des te hoger de transportkosten en des te kleiner dus de onderlinge handel. Het begrip afstand wordt hier overigens ook overdrachtelijk bedoeld in de zin van culturele en institutionele afstand. Economen hebben variabelen als het spreken van dezelfde taal, een gemeenschappelijk koloniaal verleden en handelsbarrières aan dit model toegevoegd. Al die variabelen blijken een forse invloed op de bilaterale handel tussen landen te hebben. Op dezelfde manier hebben wij het effect van het lidmaatschap van de EU onderzocht.

De Nederlandse handel is door de interne markt flink toegenomen

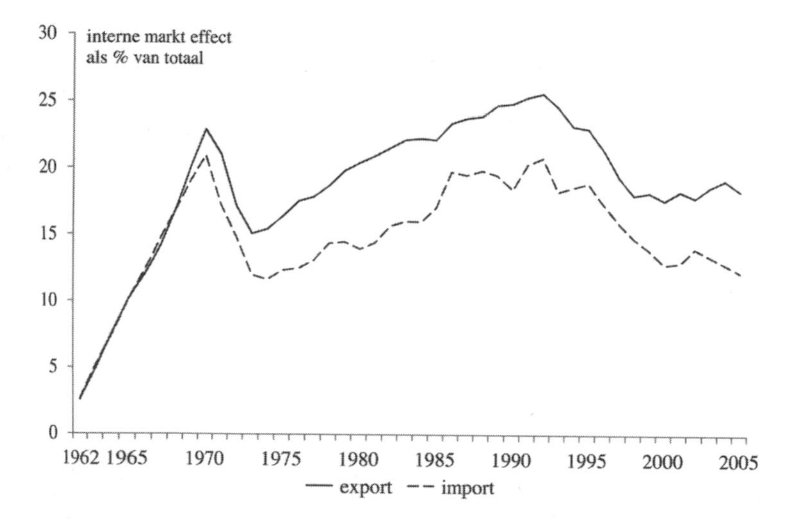

De resultaten van ons onderzoek laten zien dat de interne markt bijdraagt aan de ontwikkeling van de handel tussen de EU-lidstaten. We hebben voor elk jaar de bijdrage van de interne markt aan de totale Nederlandse export en import uitgerekend. Het resultaat daarvan staat in de figuur. De verticale as geeft de invloed van de interne markt op respectievelijk de Nederlandse export en import weer. Het effect van de interne markt op de goederenhandel neemt toe van twee procent van de totale handel in 1962 tot ruim twintig procent in 1971. Daarna loopt het effect terug in 1972 en 1973. Dat betekent niet dat er minder gehandeld wordt door de Europese landen, maar wel dat het aandeel van handel als gevolg van de interne markt in de totale handel terugloopt. Een belangrijke reden daarvoor is dat olie en gas veel duurder zijn geworden, dan neemt de waarde van de totale handel toe. Vanaf 1973 loopt het effect weer op tot 1992, het moment dat de interne markt voltooid is. Op dat moment is de export vijfentwintig procent hoger dan zonder interne markt het geval zou zijn geweest en de import twintig procent hoger. Daarna neemt het effect iets af tot ongeveer het jaar 2000. De impuls van de voltooiing van de interne markt lijkt uitgewerkt. Het genereert geen extra handel meer, maar blijft wel op een veel hoger niveau dan zonder interne markt het geval zou zijn geweest. In 2005 is de Nederlandse export nog achttien procent hoger vanwege de interne markt, voor de import is dit twaalf procent. Een deel van dit effect kan door de uitbreiding van de EU worden verklaard, maar een groot deel volgt uit de verdieping van de interne markt, zoals de harmonisatie van regels en vereenvoudigde douaneformaliteiten. Daarmee profiteert Nederland relatief sterk van de EU. Voor de 15 EU-landen die tot en met 1995 lid zijn geworden, is het gemiddelde effect op de handel acht à negen procent, een stuk lager dan voor Nederland.

Het gaat bij het handelseffect van de interne markt vooral om de handel in goederen. Het Verdrag van Rome streeft ook naar een vrij verkeer van diensten, maar dat is tot nu toe nog niet eenvoudig te realiseren geweest. Bij internationaal verhandelbare diensten gaat het om zakelijke dienstverlening, van uitzendbureaus tot aan juridische adviseurs, en om internationaal transport. De handel in diensten is veel complexer dan die in goederen en daarom ook veel kleiner. Wereldwijd is de handel in diensten maar een kwart van de handel in goederen, terwijl het aandeel in de economie veel groter is. Dienstenmarkten zijn veel meer gebonden aan nationale regels. Omdat diensten vaak minder tastbaar en minder gestandaardiseerd zijn dan goederen, hebben overheden veel regels vastgesteld om de kwaliteit van diensten en dienstenaanbieders te garanderen. Die regels belemmeren ook de buitenlandse handel. Dat kan ertoe leiden dat een landschapsarchitect, die tijdelijk in een ander EU-land wil werken, verplicht lid moet zijn van de nationale beroepsvereniging van landschapsarchitecten en aan alle regels van die vereniging moet voldoen. Mogelijk zijn dat min of meer dezelfde regels als in het eigen land, dan is het alleen vervelend om je voor een korte periode als lid in te schrijven. Het kan ook zijn dat de architect alleen lid van de beroepsvereniging kan worden als hij of zij in dat land een beroepsopleiding heeft gevolgd. *De facto* is het dan niet mogelijk om in dat land diensten aan te bieden.

Diensten kunnen vaak ook niet zomaar over de grens gestuurd worden in een pakketje. De leverende en de ontvangende partij moeten elkaar regelmatig ontmoeten, denk bijvoorbeeld aan bedrijfsadvies van een consultant. Dat maakt internationaal zakendoen lastiger. De meeste stappen in het Europese integratieproces waren dan ook niet op diensten gericht. De Europese Akte was vooral gericht op de integratie van de goederenmarkt. Een uitzondering was de fel bediscussieerde Dienstenrichtlijn. Frits Bolkestein, voormalig eurocommissaris voor de interne markt, stelde deze richtlijn in 2004 voor. In dat voorstel ging het vooral om het opruimen van belemmeringen tussen de landen. Wie in een willekeurige lidstaat zijn diensten zou aanbieden, zou dat ook in alle andere landen moeten mogen aanbieden. Hierbij zou het beginsel van het 'land van oorsprong' gehanteerd worden, dat inhield dat alleen regelgeving van het land van herkomst zou gelden voor grensoverschrijdende dienstverleners. Er kwam echter veel kritiek. De Bolkestein-richtlijn werd al snel Frankenstein-richtlijn genoemd, omdat men vreesde dat in de nationale wetten van vooral de nieuwe lidstaten onvoldoende waarborgen zouden staan voor de bescherming van de veiligheid, gezondheid, het milieu en de consumenten. Het 'land-van-oorsprong-beginsel' zou tot oneerlijke concurrentie leiden, zoals Poolse loodgieters die de banen van Franse en Nederlandse loodgieters zouden innemen. Het verzet was hevig. Als daad van verzet sneden boze Franse elektriciens de stroomtoevoer naar het vakantiehuis van Bolkestein in Noord-Frankrijk af. Het leek ook onwerkbaar dat de autoriteiten in het gastland moesten controleren of de buitenlandse dienstverleners wel aan de regels van het eigen land voldeden. Deze kritiek was zo massaal dat het land-van-oorsprong-beginsel weer werd ingetrokken. Dienstverleners mochten hun diensten wel in een andere lidstaat aanbieden als ze voldeden aan de eisen van vakbekwaamheid die in hun eigen land golden, maar ze moesten ook voldoen aan de eisen van veiligheid, gezondheid, milieu en bescherming van de consument die golden in het land waar ze hun diensten wilden verlenen. Dat laatste was een serieuze inperking van het vrije verkeer voor diensten, maar het uiteindelijke voorstel dat in 2006 werd aangenomen en in 2009 werd geïmplementeerd, bevordert wel de handel en buitenlandse investeringen in diensten. Uit CPB-onderzoek blijkt dat de handel in diensten tussen de EU-lidstaten hierdoor met twintig tot veertig procent kan toenemen en de directe investeringen met twintig tot vijfendertig procent. Op dit moment is het echter nog te vroeg om te beoordelen of de invoering van deze richtlijn inderdaad tot deze extra handels- en investeringseffecten heeft geleid.

Interne handel maakt van EU bijna een gesloten economie

Wie de berichtgeving in de kranten over de opkomst van China en India volgt, krijgt soms de indruk dat het lot van de Nederlandse economie ver weg in Azië wordt beslecht. Dit is echter een volkomen onjuiste voorstelling van zaken. De EU is veruit de belangrijkste handelspartner van ons land. De figuur brengt de handelsrelaties van Nederland in beeld: 72 procent van onze export gaat naar andere EU-landen, tegen een schamele één procent naar China. Voor de import is China veel belangrijker, acht procent van de import komt daarvandaan en dat percentage groeit snel. Maar dat alles neemt niet weg dat een succesvolle oplossing voor de Europese schuldencrisis voor de toekomstige welvaart van ons land minstens zo belangrijk is als de opbouw van goede relaties met China. Als we de verklarende factoren voor de bilaterale handel tussen twee landen nogmaals de revue laten passeren, dan komt deze conclusie eigenlijk nauwelijks als een verrassing. Ten eerste is de EU een club welvarende landen en alleen daarom al een aantrekkelijke handelspartner. Ten tweede zijn de andere EU-landen fysiek dichtbij, wat ook een voordeel is voor de handel. Ten derde zijn ze cultureel sterk vergelijkbaar. En ten slotte is er de interne Europese markt, waardoor veel handelsbelemmeringen zijn weggenomen. Zoals we gezien hebben, heeft ook dat de interne Europese handel flink vergroot.

Bijna driekwart van de Nederlandse export naar de EU

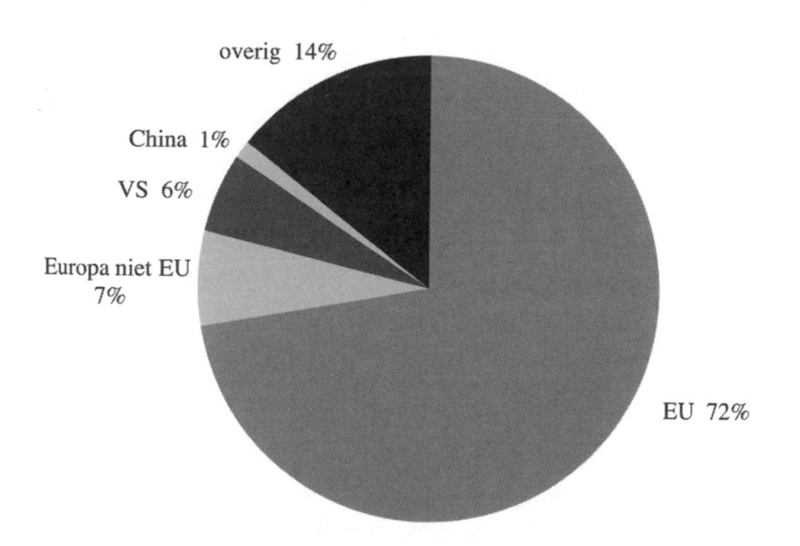

Het grote belang van interne handel binnen de EU heeft nog een extra consequentie. Nederland is een kleine open economie. De export van ons land bedraagt 60 procent van het nationaal inkomen. Als kleine open economie hoeven de politici in ons land geen rekening te houden met het effect van ons sociaaleconomisch beleid op de economie van onze buren. Ons land is klein en dus zijn ook de effecten van ons beleid op andere landen klein. Eigenlijk geldt dit voor alle EU-landen in meer of mindere mate, met uitzondering van Duitsland. Voor de EU als club van 27 middelgrote economieën is dit echter niet langer waar. Omdat veel van de handel tussen de lidstaten plaatsvindt, is de EU als geheel een redelijk gesloten economie. De export van de EU naar landen buiten de EU bedraagt maar tien procent van het nationaal inkomen. Dat percentage is net iets hoger dan het cijfer van de VS, dat is namelijk acht procent. Hoewel de regeringsleiders ieder voor zich hun eigen land wel als een kleine, open economie kunnen beschouwen, kunnen ze dat voor de EU als geheel niet doen. Dat heeft grote gevolgen voor de aanpak van de Europese schuldencrisis. Of de regeringsleiders het nu willen of niet, ze zullen rekening moeten houden met de gevolgen van het beleid van de ene lidstaat op de economie van de andere lidstaten.

Meer productiviteit en inkomen

De interne markt heeft dus tot meer handel geleid. Voor Nederland geldt dit sterker dan voor het gemiddelde EU-land. Dit komt vanwege het open karakter van onze economie. We voeren meer in en voeren meer uit, maar levert dit ook nog iets op of is handel een kwestie van dozen schuiven? Een van de redenen voor de samenwerking in Europa is het streven naar meer welvaart. Dat de welvaart is gestegen sinds de jaren vijftig hoeft geen betoog, maar de bijdrage van de interne markt daarin is lastig te bepalen, al is het maar omdat welvaart veel verschillende dimensies heeft. Onderzoek kan wel het effect op ons inkomen vaststellen. CPB-onderzoek concludeert dat meer openheid tot een hoger nationaal inkomen leidt. Op de korte termijn neemt het nationaal inkomen met één procent toe als de omvang van export en import als aandeel van het nationaal inkomen tien procent groter is. Op de lange termijn neemt het nationaal inkomen dan met vijf tot tien procent toe. We weten van de figuur hoeveel export en import zijn toegenomen als gevolg van de interne markt. Als we deze resultaten toepassen op de relatie tussen openheid en nationaal inkomen, volgt dat het Nederlandse nationaal inkomen in 2005 vier tot zes procent hoger was dan zonder interne markt het geval zou zijn geweest. Het gaat hierbij om ongeveer 1.500 tot 2.200 euro per inwoner per jaar. Het *Algemeen Dagblad* kopte bij het uitkomen van dit onderzoek in september 2008 dan ook '*Europa levert ons maandsalaris extra*'.

Deze toename van het inkomen komt op verschillende manieren tot stand. Het eerste voordeel van meer handel is dat bedrijven zich kunnen specialiseren in de productie van goederen en diensten waarin zij een voordeel hebben ten opzichte van andere bedrijven. De interne markt biedt hun nu de mogelijkheid die producten ook in andere Europese landen te verkopen. Was eerst vooral in kleine landen als Nederland de omvang van de markt te klein om zich te specialiseren, de interne markt heft deze beperking op. Voor consumenten leidt dat tot een ruimer aanbod van goederen en diensten tegen een lage prijs. Het tweede voordeel is dat bedrijven op een grotere schaal en daardoor goedkoper kunnen produceren. De omzet wordt nu niet belemmerd door de omvang van de nationale economie. De ontwikkelingskosten kunnen immers omgeslagen worden over een groot productievolume: de prijs blijft laag.

Het Nederlandse inkomen ligt in 2005 dus zo'n vier tot zes procent hoger dan zonder interne markt het geval zou zijn geweest. Maar volgens het CPB-onderzoek is nog maar een deel van de mogelijke inkomensstijging als gevolg van de interne markt gerealiseerd. Het andere deel zal naar verwachting de komende decennia gerealiseerd worden. De verschuiving van kapitaal en arbeid tussen bedrijven en economische sectoren, productiviteitsverbeteringen en innovatie die door de interne markt worden gestimuleerd, zijn nog niet afgerond. Dit betekent dat het voordeel van de interne markt voor Nederland nog verder zal oplopen.

Hoe komt het dat het effect van de interne markt in de loop van de tijd verder toeneemt? De klassieke effecten van marktintegratie, specialisatie en schaalvergroting leiden tot meer concurrentie, hogere productiviteit en een groter aanbod van producten tegen een lagere prijs, maar ook tot meer innovatie. Volgens veel economen is de interne markt een belangrijk instrument voor economische groei. De regeringsleiders spraken in 2000 tijdens een top in Lissabon af dat economische groei belangrijk was voor Europa. Ondanks de afspraken bleef de economische groei achter bij die van de VS. Een commissie onder leiding van Andre Sapir onderzocht de oorzaken van die achterstand. Het rapport van de Commissie Sapir over de Lissabon-agenda uit 2004 stelt dat *'een dynamische interne markt de basis is van Europa's economische groei'*. Het achterliggende idee is dat meer handel tot meer concurrentie leidt. Bedrijven krijgen nu ook te maken met buitenlandse aanbieders van dezelfde producten en diensten. Dat verkleint de winstmarges waardoor de minst productieve bedrijven de markt verlaten. Dat leidt tot een gemiddeld hogere productiviteit op de markt. Daarnaast kunnen bedrijven vanwege de schaalvergroting en specialisatie ook hun eigen productiviteit verhogen. De productiviteit neemt dus toe omdat bedrijven productiever worden en de minst productieve bedrijven stoppen. Op de langere termijn is er nog een effect: bedrijven gaan meer innoveren en dat zorgt uiteindelijk voor een hogere productiviteit. Meer concurrentie prikkelt bedrijven om zich te onderscheiden. Dat kan door nieuwe producten te ontwikkelen, de kwaliteit te verbeteren of door goedkopere productiemethoden. Echter, innovatie vraagt wel om investeringen. Als de concurrentie té groot is kunnen daarvoor de middelen ontbreken. Dan zou de extra concurrentie als gevolg van de interne markt de innovatie zelfs kunnen hebben vertraagd. Theoretisch zijn er dus twee mogelijke effecten van concurrentie op innovatie. Ofwel concurrentie leidt tot meer innovatie, omdat bedrijven door hun concurrenten op de hielen worden gezeten. Ofwel concurrentie leidt juist tot minder innovatie, omdat de concurrentie de winstmarges uitholt waaruit die innovatie zou moeten worden betaald. Welk effect heeft de overhand?

Om allerlei redenen is het VK de ideale plaats om deze vraag te onderzoeken. Er zijn in het VK veel beleidswijzigingen geweest in de jaren zeventig en tachtig van de vorige eeuw. Een deel daarvan was het gevolg van de late toetreding van het VK tot de EU en het Europese interne-marktbeleid. Daarnaast heeft het VK zelf rond 1980 veel markthervormingen ingevoerd, met name de privatiseringscampagne die de Engelse eerste minister Margaret Thatcher op gang heeft gebracht. Door al deze beleidswijzigingen was het effect van meer concurrentie op productiviteit en innovatie in het VK goed vast te stellen. Dat was een kolfje naar de hand van Richard Blundell en Rachel Griffith van het *Institute of Fiscal Studies* in Londen en hun collega Philippe Aghion van de Harvard Universiteit. Zij concludeerden dat de voltooiing van de interne markt in 1992 en de privatiseringsgolf tot meer concurrentie hebben geleid. Die concurrentie was op haar beurt de drijvende kracht achter veel innovaties en een hogere productiviteit. Als gevolg van minder strenge regelgeving kwamen er meer buitenlandse bedrijven naar het VK. Dat leidde tot meer concurrentie voor het Britse bedrijfsleven. Die extra concurrentie heeft de productiviteitsgroei van deze, vaak grotere, bedrijven tien jaar lang met ongeveer 1,3 procent per jaar verhoogd. De productiviteit is gestegen doordat binnenlandse bedrijven meer zijn gaan innoveren. Naarmate meer bedrijven op een markt zijn en de concurrentie dus intensiever is, neemt het aantal innovaties toe. Meer geïmporteerde producten uit het buitenland dragen niet bij aan het aantal innovaties. Vooral voor grotere bedrijven is ook de marktwaarde van die innovaties hoger.

De interne markt heeft ook internationaal kapitaalverkeer en migratie van werknemers mogelijk gemaakt. Bij kapitaalmarkten heeft dat wel gewerkt, bij arbeidsmarkten nauwelijks. Verschillen in cultuur en sociale zekerheid maken migratie niet aantrekkelijk, tenzij de loonverschillen erg groot zijn, zoals voor veel Polen en andere werknemers uit de nieuwe lidstaten. Voor Nederland zijn de economische effecten van kapitaalverkeer en migratie niet onderzocht, maar de resultaten voor de EU suggereren dat deze stromen het nationaal inkomen een half tot een heel procent hebben verhoogd. De mogelijke voordelen van de euro bovenop de interne markt komen in hoofdstuk 3 aan de orde.

Hoewel er al veel bereikt is, is de interne markt nog lang niet 'af'. De Europese Commissie heeft in 2011 een nieuwe akte voor de interne markt gepresenteerd met tal van maatregelen om de interne markt te verbeteren. Zo zijn er nog vele, moeilijk neembare hindernissen door nationale regelgeving voor het internationale dienstenverkeer. Het ontbreekt aan een goed systeem voor het internationaal overdragen van pensioenrechten, waardoor de internationale mobiliteit van (vooral oudere) werknemers wordt belemmerd. Er is nog veel winst te behalen in de zogenaamde netwerksectoren (energie, transport en de verdeling van radiofrequenties), waarvan de exploitatiemogelijkheden vaak ophouden bij het bereiken van de landsgrens. In de digitale EU-markt zijn elektronische identificatiemogelijkheden nog vaak beperkt tot het nationale grondgebied.

De interne markt disciplineert ook nationale kampioenen

De interne markt heeft meer handel gebracht en tot een hogere productiviteit en hogere inkomens geleid. Dat was mogelijk doordat nationale markten werden opengesteld voor buitenlandse bedrijven en daardoor voor meer mededinging. Meer concurrentie komt echter niet vanzelf tot stand. Er zijn ook veel markten waarop bijna geen mededinging is, omdat nationale regels concurrentie vanuit het buitenland bemoeilijken of doordat bedrijven samenspannen om de markt onderling te verdelen. Dat heet kartelvorming. Er is een Europees mededingingsbeleid om kartelvorming op Europese schaal tegen te gaan en fusies en overnames te verbieden die de concurrentie op een markt te veel inperken. Daarnaast beoordeelt de Europese Commissie ook staatssteun aan bedrijven. Zo werd er tijdens de kredietcrisis door toenmalig EU-commissaris mededingingsbeleid Neelie Kroes scherp op toegezien dat de massale overheidssteun aan nationale banken en verzekeraars niet tot bevoordeling van deze bedrijven zou leiden ten opzichte van de andere spelers die zonder staatssteun het hoofd boven water konden houden. Stilzwijgende steun aan nationale bedrijven valt soms buiten het mandaat van nationale toezichthouders op de marktwerking. Zo hebben de Duitse en Franse regeringen geprobeerd de auto-industrie te ondersteunen gedurende de crisis in 2008 en 2009 op voorwaarde dat de nationale werkgelegenheid door die bedrijven beschermd zou worden. Het gevolg is dat deze bedrijven juist bij hun buitenlandse vestigingen banen hebben afgestoten.

De interne markt en het mededingingsbeleid scheppen kansen en bedreigingen voor de bedrijven die vanouds belangrijke nationale spelers waren: de nationale kampioenen. Ze zijn een paradepaardje, denk aan de autofabrieken en de vliegtuigindustrie. Deze bedrijven hebben veel werknemers in dienst, zijn productief, ontwikkelen vaak nieuwe producten en zijn belangrijk voor de export. Ze hebben echter ook gemakkelijk toegang tot de nationale overheid en kunnen daardoor ook hun belangen goed behartigen. Volgens Mancur Olson, een Amerikaans econoom die zijn hele werkzame leven de relaties tussen belangengroepen en de overheid heeft onderzocht, heeft dat de nodige gevolgen voor de maatschappij. Nationale kampioenen kunnen eenvoudiger iets gedaan krijgen van de overheid dan andere groepen. Het nadeel voor de maatschappij is echter meestal veel groter dan het voordeel voor de nationale kampioen. Maar omdat de nadelen breed gespreid zijn, vindt niemand het de moeite waarde om daarvoor in het krijt te treden, terwijl de voordelen bij een kleine groep terechtkomen die zich gemakkelijk kan organiseren en daardoor bij de politiek veel voor elkaar kan krijgen. Olson concludeert dan ook dat de invloed van belangengroepen kan leiden tot een besteding van overheidsmiddelen die niet in het maatschappelijke belang zijn. Hij heeft de opkomst van belangengroepen in de eerste decennia na de Tweede Wereldoorlog onderzocht in zijn boek *The Rise and Decline of Nations*. De economische groei in een land neemt af naarmate belangengroepen actiever zijn en meer invloed hebben.

De vorming van de interne markt verandert die relatie tussen belangengroepen en de overheid op nationaal niveau. Een deel van de voor bedrijven relevante besluitvorming is naar Brussel gegaan. Voor Europees beleid moeten bedrijven zich op Europese schaal organiseren en dat is veel lastiger. Een nationale kampioen is nog geen Europese kampioen. Elk land heeft zijn nationale kampioenen en andere grote bedrijven. In Europa is de markt veel groter en is het veel moeilijker een grote speler te zijn. De nationale bedrijven uit verschillende landen moeten eerst een netwerk vormen voordat ze in Brussel invloed kunnen uitoefenen. Dat is niet zo eenvoudig als in het eigen land. Er zijn culturele verschillen en de afstanden zijn groter.

Een voorbeeld is de luchtvaart. De meeste Europese landen hadden in de jaren zestig en zeventig een grote luchtvaartmaatschappij en één of meerdere vliegvelden voor internationale vluchten. Dat waren vaak nationale luchtvaartmaatschappijen en de vliegvelden waren vaak het eigendom van de overheid. Daarnaast was en is de luchtvaartsector streng gereguleerd. De nationale overheden onderhandelden met elkaar over wederzijdse landingsrechten. In die verdragen werden het aantal landingen, de frequentie, het type vliegtuig en de route vastgelegd en vaak ook nog afspraken gemaakt over de prijzen. Op die manier werden op het traject Amsterdam-Rome de posities van de KLM en Alitalia gewaarborgd. Andere luchtvaartmaatschappijen maakten geen kans op rechtstreekse vluchten. Natuurlijk kon je als passagier proberen om via München te vliegen, maar dan had je te maken met de dominante positie van KLM en Lufthansa op het traject Amsterdam-München en Lufthansa en Alitalia op het traject München-Rome. Er was dus geen directe concurrentie tussen de maatschappijen. Nieuwe maatschappijen konden op bestaande routes geen vaste voet aan de grond krijgen. Vanwege het interne-marktbeleid nam de Europese Commissie een aantal maatregelen om deze dominante posities af te breken. De nationale overheden hadden hier geen enkel belang bij, zij wilden hun nationale trots beschermen, terwijl de consumenten letterlijk de prijs betaalden met dure vliegtickets. Eerst werden de beperkingen op de prijzen afgeschaft. Vanaf 1990 mochten alle Europese maatschappijen passagiers van hun eigen land naar alle andere EU-landen vliegen en andersom, en vanaf 1993 werd een vrije toegang gegarandeerd voor luchtvaartmaatschappijen met een EU-licentie. Ze mochten elke route tussen twee EU-landen vliegen, de bilaterale verdragen waarin de routes verdeeld werden binnen de EU, waren voorbij. Later is dat ook uitgebreid naar binnenlandse vluchten. Daarmee was de discriminatie van buitenlandse luchtvaartmaatschappijen echter nog niet voorbij. Luchthavens in een aantal EU-landen vroegen lagere prijzen voor de landingsrechten voor binnenlandse dan voor buitenlandse vluchten, ongeacht het type vliegtuig. Ook kregen nationale luchtvaartmaatschappijen vaak kortingen, waardoor zij in staat waren lagere prijzen te vragen dan de buitenlandse maatschappij op hetzelfde traject. De Britse maatschappij Midland maakte het systeem van kortingen op het vliegveld Zaventem aanhangig bij de Europese Commissie als inbreuk op het mededingingsrecht. De Europese Commissie gaf Midland gelijk en onderzocht ook de landingsrechten bij andere luchthavens. In Finland, Spanje, Portugal, Frankrijk en Italië was dit ook de praktijk en zijn de systemen van kortingen na optreden van de commissie aangepast.

De nieuwe regelgeving van de Europese Commissie die concurrentie in de luchtvaart mogelijk maakte, bood ongekende mogelijkheden voor nieuwe luchtvaartmaatschappijen. Met lage prijzen vochten de budgetmaatschappijen zich in de markt. En met succes. Bedrijven als Ryanair en EasyJet zijn niet meer weg te denken van de vliegvelden. Het aantal vluchten in de EU is fors toegenomen, net als het aantal routes. De keuze van consumenten voor een vliegmaatschappij, route en tijdstip is veel groter geworden. Niet onbelangrijk daarbij, de prijzen zijn gedaald, vooral op trajecten waar meerdere maatschappijen actief zijn. Een voorbeeld is Lufthansa dat in 2003 de prijs voor een retourticket Keulen-Hamburg van 143 naar 92 euro verlaagde op het moment dat een budgetmaatschappij vluchten op dit traject aanbood. Prijsverlagingen van vijftig procent in een paar jaar tijd zijn geen uitzondering.

De interne markt en soevereiniteit

Het mededingings- en interne-marktbeleid heeft voor meer concurrentie gezorgd en voor minder bescherming van bestaande bedrijven. Het EU-beleid is vaak in het voordeel van de consumenten geweest, zoals het voorbeeld van de luchtvaart laat zien. Een ander gevolg is dat nationale overheden niet meer zo goed in staat zijn de lobby's van de nationale kampioenen goed te bedienen. En daar waar die lobby's sterke invloed hebben op kiezers, zou dit wel eens stemmen kunnen kosten bij verkiezingen.

Hier zit de paradox: als consument en als belastingbetaler hebben wij er belang bij dat de Europese Commissie de nationale politiek de voet dwars zet bij het beschermen van onze nationale kampioenen tegen buitenlandse concurrenten. Zoals we hebben gezien, leiden minder bescherming en meer concurrentie tot meer innovatie en hogere productiviteit. Maar als deel van de lobby voor deze of gene nationale kampioen, hebben wij er last van dat de Europese Commissie de nationale politiek zo hinderlijk voor de voeten loopt bij de bescherming van onze nationale kampioenen. Zo stelt de Europese Commissie paal en perk aan staatssteun, kartelvorming en afscherming van de nationale markt. Hier merken nationale politici en beleidsmakers dat de realisatie van het vrije verkeer van goederen en diensten ook grenzen stelt aan het nationale beleid. Zolang alleen importtarieven werden afgebouwd en douaneprocedures werden vereenvoudigd, bleven die gevolgen beperkt, maar met het arrest Cassis de Dijon werd veel nationale regelgeving onmogelijk gemaakt en verdere wetgeving opgelegd. Op deze terreinen liet Brussel zich voelen, wat weerstand opriep tegen Brussel.

Een regering en een overheid die haar bedrijfsleven en werkgelegenheid ondersteunen maken goede sier bij de bevolking. Dat zijn vaak zichtbare en daadkrachtige acties, maar de mogelijkheden daartoe zijn veel kleiner geworden door de Europese regelgeving. En een overheid die haar nationale kroonjuwelen door buitenlandse bedrijven laat overnemen, stuit al snel op onbegrip. Dat bleek in 2007 toen Nutricia en andere bedrijven in buitenlandse handen overgingen. '*Nederland in de uitverkoop*' werd er door kranten gekopt. De reacties lieten wel zien dat zich rond nationale kampioenen een oranjegevoel vormt en dat overheidsingrijpen om die kampioenen en haar werknemers te ondersteunen, op veel sympathie kan rekenen. Zie hier een diepere drijfveer achter het toenemende verzet tegen meer bemoeienis uit Brussel. Dit verzet heeft bij de aanpak van de Europese schuldencrisis een grote rol gespeeld.

Verder lezen

Philippe Aghion en Rachel Griffith, 2005, *Competition and Growth*, MIT Press, http://mitpress.mit.edu/catalog/item/default.asp?ttype=2&tid=10712.
Een toegankelijke beschrijving van de effecten van meer concurrentie op productiviteit en innovatie, zowel theoretisch als empirisch.

Committee for the Study of Economic and Monetary Union, 1989, *Report on economic and monetary union in the European Community*, (Delors-rapport), http://aei.pitt.edu/1007/1/monetary_delors.pdf.
Het centrale beleidsdocument voor de vorming van de EMU en de euro.

CPB/SCP, 2006, 'Marktplaats Europa, vijftig jaar publieke opinie en marktintegratie in de Europese Unie', *Europese Verkenning* 5, http://www.cpb.nl/persbericht/328956/europese-verkenning-5-welvaart-europeanen-hoger-door-interne-markt.
De ontwikkeling van de interne markt en de effecten daarvan op de markten voor goederen en diensten en voor personen en kapitaal.

Bas Straathof, Gert-Jan Linders, Arjan Lejour en Jan Möhlmann, 2008, 'The internal market and the Dutch Economy: implications for trade and economic growth', CPB Document 168, http://www.cpb.nl/publicatie/internal-market-and-dutch-economy-implications-trade-and-economic-growth.
Berekening van het voordeel van de interne markt.

Mancur Olson, 1982, *The Rise and Decline of Nations: Economic Growth, Stagflation, and Social Rigidities*, New Haven: Yale University Press. New Haven: Yale University Press.
Klassieker: het ontstaan van belangengroepen en hun effect op de economische groei.

Voor meer achtergronden bij dit hoofdstuk en informatie over de onderwerpen, zie www.cpb.nl/publicatie/europa-in-crisis.

3
De baten van de euro

'You can check out anytime you like, but you can never leave.'
('Hotel California', The Eagles).

- De winst van invoering van de euro is minder duidelijk dan die van de interne markt, hoogstens ongeveer een weeksalaris.
- Die winst is het gevolg van meer handel en investeringen en minder risico. Daarnaast profiteren zuidelijke eurolanden van een onafhankelijk monetair beleid.
- De onomkeerbaarheid van de vaste ruilverhouding is een groot voordeel van een muntunie boven een systeem van vaste wisselkoersen zoals vroeger tussen de gulden en de mark.
- De kosten van het uiteenvallen van de EMU en de herinvoering van nationale munten zijn enorm.

Op een berg staat een ruïne die veel weg heeft van de Acropolis. In het midden een fluitist en een violiste. Eromheen dansen mensen. De camera vliegt door naar de Ierse kust. Een meisje rent met een paard door het gras. Dan schiet de camera naar een verzameling wolkenkrabbers. Mensen dansen op het dak tegenover een groot scherm waarop langzaam de euro uit de wolken verschijnt. Een voice-over spreekt: 'Eén januari 2002, twaalf landen, 300 miljoen Europeanen, verschillende culturen, verschillende dromen, verschillende verwachtingen. Driehonderd miljoen mensen met één gemeenschappelijke munt. De euro, ons geld.' Het was een van de vele wervende reclamespotjes uit het najaar van 2001, toen Nederland en elf andere EU-landen zich opmaakten voor de introductie van de euro. De euro bestond al sinds 1999 in girale vorm, maar bankbiljetten en munten waren er nog niet. Voor de overheid, de banken, het bedrijfsleven en het grote publiek was het een spannende operatie. Zouden er op 1 januari 2002 wel genoeg euro's uit de geldautomaten rollen?

Nederland bereidde de omwisseling minutieus voor. De Nederlandse Spoorwegen experimenteerde op het Centraal Station in Amsterdam met twee valuta om de gevolgen op wachtrijen te onderzoeken voor de korte periode dat de euro en gulden als betaalmiddel naast elkaar zouden bestaan. De wachtrijen en -tijden werden twee keer zo lang. Dat voedde de angst bij de overheid en het bedrijfsleven voor lange rijen en chaos. Gelukkig was dat allemaal niet het geval. Wim Duisenberg, president van de Europese Centrale Bank (ECB), noemde de invoering een enorm succes. Duisenberg was een van de drijvende krachten achter de invoering van de euro. Hij stond sinds 1999 als eerste aan het roer van de ECB die de invoering van de euro in de landen die meededen aan de Economische en Monetaire Unie (EMU), coördineerde. Tot 1997 was hij president van De Nederlandsche Bank en nauw betrokken bij het voortraject naar de EMU. Premier Wim Kok en minister van Financiën Gerrit Zalm vierden het oud-en-nieuwfeestje in Maastricht, de stad waar in 1992 het Verdrag van Maastricht werd ondertekend dat de introductie van de euro mogelijk maakte. Zalm pinde om één minuut over twaalf de eerste euro's uit een geldautomaat. De introductie van de euro was een succes.

Niet alleen de autoriteiten beschouwden de omwisseling als een succes, het grote publiek leek de euro liefdevol te omarmen. *NRC Handelsblad* schreef op 4 januari 2002: '*Hoera, er zijn euro's! Heel Nederland stort zich sinds 0.01 uur nieuwjaarsdag massaal en vol enthousiasme op de nieuwe munt. Gisteren werd bekend dat inmiddels 80 procent van de Nederlanders met euro's betaalt alsof ze nooit anders hebben gedaan. De verwachting is dat eind deze week ruim driekwart van de bevolking 'om' is, meer dan in het meest rooskleurige scenario werd verwacht.'* Het was niet alleen de NRC die zulke berichten met een optimistische toon publiceerde, de toonzetting in bijna alle media was positief. Die steun voor de euro bestond al in de herfst van 1998, vlak voor de invoering van de girale euro, toen bijna tachtig procent van de Nederlanders vóór de invoering van de euro was. Later kantelde dit beeld. In de jaren na de introductie van de euro leefde bij veel consumenten het gevoel dat door de euro alles duurder was geworden. In de eerste twee jaar na de introductie van de euro lag de inflatie inderdaad iets hoger dan in de voorgaande periode. Volgens De Nederlandsche Bank is de inflatie met 0,6 procent omhoog gegaan als gevolg van de euro. Lang duurde dit niet, de inflatie ging zelfs omlaag. In de periode 2002-2010 was de inflatie met 1,9 procent zelfs een stuk lager dan de 2,5 procent in de periode 1990-2000.

De omschakeling naar de euro verliep dus succesvol, maar was niet gratis. Een gemeenschappelijke munt brengt namelijk ook kosten met zich mee. Zo zijn er de directe kosten, bijvoorbeeld doordat banken hun IT-systemen moeten aanpassen, betaalautomaten moeten worden omgebouwd, of nieuwe munten moeten worden gedrukt. DNB-president Nout Wellink schatte dat de operatie 4,5 miljard euro kostte, ofwel tien miljard gulden. Dat was ongeveer één procent van het Nederlandse bbp in 2002. In hoofdstuk 5 bespreken we de kosten die ontstaan doordat landen de flexibiliteit van een eigen munteenheid missen. Tegenover die kosten moeten dus voldoende baten staan. Wat heeft de euro nu meer te bieden dan de gulden, de lire, de franc of de mark? In theorie bestaat er een aantal potentiële voordelen van een muntunie: een toename van de handel, een toename van investeringen door bedrijven en een afname van risico's die consumenten lopen.

Meer handel

Van die drie effecten – meer handel, meer investeringen, minder risico – is het effect op handel het beste in kaart gebracht. Dat mag geen verbazing wekken, want het vormen van een Europese vrijhandelszone, zonder in- en uitvoerbarrières was immers de eerste stap op weg naar een monetaire unie, zo zagen we in het vorige hoofdstuk. Daarbij zijn over handel ook veel data voorhanden, doordat landen vrij goed bijhouden hoeveel import en export er van diverse typen goederen is.

De euro kan op verschillende manieren tot meer handel leiden. Ten eerste dalen de transactiekosten en daardoor de kosten van zakendoen. Voor Nederland een potentieel belangrijk effect. Meer dan vijftig procent van de buitenlandse handel betreft handel met andere eurolanden. Alle transacties tussen bedrijven in het eurogebied vonden na 2001 in euro's plaats. Ze hadden geen last meer van omwisselkosten, bovendien liepen zij dankzij de euro geen wisselkoersrisico meer. Dat wisselkoersrisico konden ze voor de komst van de euro weliswaar afdekken op financiële markten, maar daarvoor moesten ze wel verzekeringen afsluiten. Multinationals die ook buiten de EMU zaken deden, hadden natuurlijk ook veel voordeel van één euro in plaats van twaalf verschillende munten. Een bedrijf als Philips, met vestigingen in tientallen landen, had een centraal cash-management-systeem. Hoewel de transacties tussen de vestigingen in één valuta konden worden afgehandeld, hadden alle vestigingen ook lokale valuta nodig, al was het maar om het personeel uit te betalen. Het cash-management-systeem werd een stuk eenvoudiger toen twaalf valuta in één munt opgingen. Bedrijven buiten de EMU profiteerden ook van de euro. Uit een Britse enquête uit 2001 bleek bijvoorbeeld dat veel Britse multinationals die met de EMU-landen handelden, verwachtten dat het wisselkoersrisico kleiner zou worden en de kosten om met het wisselkoersrisico om te gaan, ook. Die lagere transactiekosten en het wegvallen van het wisselkoersrisico zorgden ervoor dat kosten van internationaal zakendoen daalden, met als gevolg dat de handel tussen landen toenam.

Maar niet alleen de kosten van het zakendoen in andere EMU-landen daalden, ook de marges gingen omlaag. Dat kwam door fellere concurrentie. Concurrentie ondermijnt de mogelijkheid van bedrijven om hoge prijzen te rekenen en zorgt ervoor dat ze efficiënter gaan opereren, met lagere en meer uniforme prijzen als gevolg. En lagere prijzen zorgen voor meer handel. De concurrentie nam toe doordat bedrijven gemakkelijker markten in andere landen konden betreden en doordat consumenten prijzen beter konden vergelijken. Bestaande exporteurs gingen meer producten uitvoeren naar andere eurolanden. Producten waarvan ze eerst dachten dat de kosten om die te exporteren net iets te hoog waren om winst mee te kunnen maken. Consumenten konden in andere landen eenvoudiger zoeken naar producten, de prijzen waren gemakkelijker te vergelijken en je hoefde geen valuta meer om te wisselen. Wim Duisenberg stelde in 2000 in een toespraak dan ook dat "de voltooiing van de interne markt en vergrote grensoverschrijdende prijstransparantie de ruimte zullen verkleinen voor het bestaan van substantiële prijsverschillen voor producten die gemakkelijk verhandelbaar zijn."

Diverse economen hebben onderzocht of de lagere transactiekosten en meer concurrentie tot extra handel hebben geleid tussen de eurolanden. In een rapport voor de Europese Commissie uit 2008 concludeerde Richard Baldwin, hoogleraar internationale economie in Genève, dat handel tussen eurolanden door de EMU met ongeveer vijf procent was toegenomen. Baldwin had zijn resultaten niet uitgesplitst naar de individuele eurolanden, maar als de vijf procent ook voor Nederland geldt, komt dat overeen met ongeveer één extra weekloon bovenop de dertiende maand uit het vorige hoofdstuk. Dat voordeel komt elk jaar weer terug. Volgens Baldwin is de toename van de handel voornamelijk het gevolg van lagere prijzen als gevolg van meer concurrentie, terwijl de directe rol van lagere transactiekosten op prijzen beperkt is.

Meer investeringen

De EMU kan ook tot meer welvaart hebben geleid doordat het investeren gemakkelijker maakte. De introductie van de euro heeft het wisselkoersrisico weggenomen. Daarbij is er ook geen opslag op prijzen en/of rente nodig om wisselkoersrisico af te dekken. Investeren in andere landen binnen een muntunie wordt dus aantrekkelijker.

Dat hier nog veel viel te winnen, bleek in 1980 uit een baanbrekend artikel van de economen Martin Feldstein en Charles Horioka. Zij onderzochten het verband tussen sparen en investeren in een tijd dat het internationale kapitaalverkeer toenam. Aan de hand van de gegevens voor 21 OESO-landen in de periode 1960 tot 1974 lieten ze zien dat besparingen en investeringen in hoge mate met elkaar gecorreleerd zijn. Een extra euro aan spaargeld wordt dus veel eerder in het eigen land geïnvesteerd dan in andere landen. Dat was een spraakmakende conclusie, want in strijd met de theoretische voorspelling. Volgens de economische theorie zou kapitaal immers naar die landen stromen waar de rendementen het hoogste zijn. De hoogte van nationale besparingen en investeringen zou dus niet aan elkaar gecorreleerd hoeven te zijn. Dat die correlatie wel bestond, liet zien dat spaargeld blijkbaar niet op de plek werd geïnvesteerd waar het voor het hoogste rendement en dus de meeste economische groei kon zorgen. Er lag dus nog veel ruimte voor welvaartswinst door een toename van grensoverschrijdende investeringen.

Sinds het ontstaan van de EMU zijn de directe buitenlandse investeringen door bedrijven binnen het eurogebied flink toegenomen ten opzichte van investeringen vanuit het eurogebied in niet EMU-landen. Schattingen lopen uiteen van ongeveer vijftien tot dertig procent. Daarnaast investeren bedrijven uit de EMU-landen niet alleen meer in andere EMU-landen maar ook in niet-EMU-landen. Blijkbaar gaat dat ook gemakkelijker met een euro dan met bijvoorbeeld een lire of Belgische frank. Overigens zagen we in het eerste hoofdstuk al dat de toename van buitenlandse investeringen in bijvoorbeeld Ierland of Spanje niet alleen maar goed nieuws was. Daar komen we in hoofdstuk 4 nog op terug.

Een gemeenschappelijke markt kan ook tot meer investeringen leiden doordat investeringsrisico's beter gespreid worden. Dat werkt als volgt. Stel een investeerder doet mee aan het spel kop of munt. Hij mag elk bedrag inzetten. Bij kop verdubbelt de inzet en bij munt halveert de inzet. De investeerder begint met 50 euro. Als de investeerder het spel één keer mag spelen, eindigt hij gemiddeld met 62,5 euro. Bij kop krijgt hij namelijk 100 euro en bij munt 25 euro. Gemiddeld genomen betekent dat een winst van 12,5 euro. Maar er is wel een risico: het is ook mogelijk dat hij 25 euro verlies lijdt. Wat nu als de investeerder vijftig keer achterelkaar mag spelen met één euro inzet? Gemiddeld genomen verdient hij nog steeds 12,5 euro. Maar hij loopt nu veel minder risico. Immers, het is erg onwaarschijnlijk dat hij vijftig keer achter elkaar verliest of vijftig keer achter elkaar wint. Veel waarschijnlijker is het dat hij een aantal keer wint en een aantal keer verliest.

Dat is het principe van risicospreiding. Als mensen konden betalen om mee te doen aan een van deze twee spellen, zouden ze meer willen betalen voor het tweede spel dan voor het eerste spel. Je kunt het ook anders zeggen. Om mee te doen aan het eerste spel, willen ze een risico-opslag ontvangen. Ze willen een vergoeding voor het risico dat ze lopen. De Amerikaanse econoom Maurice Obstfeld liet in 1994 zien dat geïntegreerde financiële markten via dit mechanisme in theorie een belangrijke bron van welvaartswinst zouden kunnen zijn. Beter geïntegreerde financiële markten maken het mogelijk om in meerdere landen tegelijk te investeren. Op die manier spreiden investeerders hun risico. En net als in het spel kop of munt zorgt dat voor een lagere risicopremie, dus lagere kosten en daardoor meer investeringen. Op die manier stimuleren beter ontwikkelde financiële markten de economische groei. Onderzoek laat zien dat de potentiële welvaartswinst door risicospreiding op lange termijn kan leiden tot tussen de één en vier procent extra welvaart.

Maar potentiële winst is iets anders dan werkelijke winst. Het is niet eenvoudig om vast te stellen of meer diversificatie werkelijk heeft geleid tot meer investeringen en dus meer economische groei. Het duurt altijd even voordat het wegvallen van onzekerheid doorwerkt in de gehele economie. Daarnaast wordt economische groei door tal van factoren beïnvloed waar de euro er maar één van is. Het is moeilijk om het effect van de euro te scheiden van het effect van andere factoren. Een indirecte indicatie van het belang van diversificatie blijkt uit de ontwikkeling van Europese kapitaalmarkten. Naar aanleiding van het tienjarig bestaan van de EMU in 2008 hebben meerdere economen daarvan de balans opgemaakt. Zo houden de eurolanden twee keer zoveel buitenlandse staatsobligaties aan. Financiële instellingen in niet EMU-landen houden ook vaker obligaties uit EMU-landen aan. Dit geldt niet alleen voor staatsobligaties. Ook wordt vermogen veel vaker belegd in andere EMU-landen. Dat is met ongeveer tweederde toegenomen. De integratie van kapitaalmarkten als gevolg van een gemeenschappelijke munt blijkt niet alleen uit de toename van internationale transacties, maar ook uit de rentes. Deze zijn steeds verder naar elkaar toegegroeid.

Aandeel van het eurogebied in grensoverschrijdende bezittingen voor verschillende EMU-landen

	Schuld			Vermogen		
	1997	2001	2006	1997	2001	2006
			% van het bbp			
Oostenrijk	46,7	62,0	65,5	50,2	53,5	55,6
België	59,8	74,9	77,4	84,1	78,9	79,7
Finland	28,7	75,1	74,6	34,9	31,1	38,8
Frankrijk	45,2	58,9	66,8	39,3	51,1	50,5
Duitsland	46,9	65,0	66,6	39,2	59,7	69,6
Griekenland		33,5	30,7		50,1	43,0
Ierland	42,6	43,8	48,4	13,9	18,5	26,8
Italië	19,7	49,5	64,9	55,6	64,3	79,2
Luxemburg		60,4	57,4		37,0	33,6
Nederland	68,5	66,7	69,3	22,7	26,5	25,6
Portugal	43,2	57,1	60,6	54,0	65,5	67,3
Spanje	27,6	67,0	56,8	45,8	54,2	77,0

Bron: Philip R. Lane, 2008, EMU and financial integration.

Minder risico

Dan is er nog een derde effect van de EMU dat tot welvaartwinst leidt. Bedrijven, consumenten en overheden staan namelijk minder bloot aan de financiële gevolgen van allerlei schokken, zoals de varkenspest of het faillissement van een grote financiële instelling. Een muntunie beschermt deels tegen dergelijke schokken. Dat een eigen munt risico met zich meebrengt, bleek wel uit het voorbeeld van Zwitserland. De Zwitserse frank was dertig procent in waarde gestegen sinds het uitbreken van de eurocrisis totdat de Zwitserse centrale bank in september 2011 besloot in te grijpen. Die waardestijging ging ten koste van de export. Zwitserse producten werden namelijk duurder, waardoor Zwitsers meer buitenlandse producten gingen consumeren en buitenlanders minder Zwitserse producten aanschaften.

Om een verdere stijging van de frank tegen te gaan, heeft de Zwitserse centrale bank haar munt eigenlijk effectief aan de euro gekoppeld. Hetzelfde lot zou de Nederlanders mogelijk beschoren zijn als de gulden nog bestond en niet gekoppeld was aan de valuta van onze belangrijkste handelspartners. En een eigen munt kan niet alleen in waarde stijgen, maar ook in waarde dalen. Dat is de ervaring van IJsland waar de overheid de failliete banken moest overnemen. Veel IJslanders werden met hogere schulden geconfronteerd omdat ze vaak in euro's leenden.

Eén Europese munt leidt ook tot minder risico als er door de introductie van de euro één grote markt voor in euro's gedenomineerde overheidsschuld is. Dit leidt namelijk tot een lagere prijs omdat het in zo'n markt veel gemakkelijker is om overheidsobligaties te verkopen bij een plotselinge geldbehoefte. De marktprijs zal niet snel beïnvloed worden door de transacties van een enkele investeerder. Op elk moment zijn er veel kopers en verkopers. De markt voor dergelijke obligaties is dus heel liquide. Investeerders lopen geen liquiditeitsrisico meer, waardoor de rentes die overheden betalen, omlaag gaan.

Schattingen van de grootte van dit effect voor de belangrijkste reservemunt ter wereld, de Amerikaanse dollar, lopen uiteen van 0,2 tot 0,9 procent. Uitgaande van 0,2 procent betaalt een land dat voorheen bijvoorbeeld 4,5 procent rente betaalde op een vijfjarige lening, nu 4,3 procent. Die lagere rente betekent lagere financieringskosten. In het geval van de Amerikaanse schuld, ongeveer 14.000 miljard dollar halverwege 2011, betekent dit meer dan 30 miljard dollar lagere financieringskosten. Dat is de ondergrens van de schatting. Als het voordeel bijna één procent is, loopt het voordeel op tot meer dan 100 miljard dollar voor de Amerikaanse overheid. Voor de EMU als geheel met een totale overheidsschuld van bijna 8.000 miljard euro in 2010 zouden de lagere financieringslasten neerkomen op 16 tot

70 miljard euro. Uiteraard is dit voordeel ongelijk verdeeld over de Europese landen. Duitsland profiteert bijvoorbeeld veel minder van dit voordeel dan België of Spanje. De markt voor Duitse obligaties was natuurlijk al behoorlijk liquide voor de komst van de euro. In hoofdstuk 7 gaan we verder in op de plannen voor een gemeenschappelijke Europese staatsschuld, de zogenaamde eurobonds. Volgens voorstanders zijn de potentiële voordelen nog groter dan alleen deze liquiditeitspremie. Maar in dat hoofdstuk gaan we ook in op mogelijke nadelen.

Tot slot zorgt de euro ook voor minder risico doordat de ECB inflatie beter in toom kan houden dan sommige centrale banken vóór 1999. Dit voordeel speelt vooral in zuidelijke landen. De ECB is verantwoordelijk voor het monetaire beleid en is in elk geval op papier volledig onafhankelijk van de politiek. Europese regeringsleiders mogen zich niet bemoeien met het beleid van de ECB, behalve met de benoeming van de directie. Dit model bouwt voort op de onafhankelijkheid van de Duitse centrale bank. De ECB heeft ook maar één belangrijke doelstelling en dat is een beheerste prijsontwikkeling. De inflatie in de EMU mag op middellange termijn niet meer dan twee procent per jaar bedragen. Dit was geen gemeengoed in de Europese Unie. Tussen 1971 en 1984 was de inflatie in Italië bijvoorbeeld minimaal tien procent met een piek van vijfentwintig procent in 1975. Dat was in Duitsland wel anders. De piek lag daar op acht procent en de inflatie was in 1984 weer gedaald tot twee procent.

De verschillen in inflatie werden ook kleiner doordat landen al snel na de start van de Europese integratie de koers van hun munt probeerden te stabiliseren via het in hoofdstuk 1 besproken systeem van de Slang. Dat werkte naar tevredenheid, totdat in 1992 de referenda over het Verdrag van Maastricht in Frankrijk en Denemarken tot veel onrust leidden in de financiële wereld. Financiële markten twijfelden eraan of Europa zich wel echt wilde vastleggen op één munt en dus vaste wisselkoersverhoudingen. Er werd met name getwijfeld aan de vastberadenheid van de Engelsen. Margaret Thatcher was als eerste minister niet bereid de renteverhogingen door te voeren die nodig waren om de wisselkoers van het pond te verdedigen, terwijl de Duitse Bundesbank dat wel deed om de Duitse inflatie in toom te houden. Die twijfel over het *commitment* van landen had grote gevolgen. Italië was genoodzaakt zijn munt te devalueren. De crisis kwam tot een kookpunt op Zwarte Woensdag, drie dagen voor het Franse referendum over het Verdrag van Maastricht. De Hongaarse belegger George Soros dankt zijn grote vermogen aan grootscheepse speculaties tegen het pond tijdens deze crisis. Centrale banken waren gedwongen massaal ponden op te kopen. Maar aan het eind van de dag bleek de twijfel over de Engelse bereidheid de koers van het pond te verdedigen, te diep te zitten. De Engelse regering kondigde aan het pond te laten zweven, waardoor het meteen fors in waarde daalde. Drie dagen voordat de Britten uit het wisselkoersmechanisme stapten was de lire al gedevalueerd, maar dat bleek niet voldoende. Was voor de crisis tienduizend lire nog vijftien gulden waard, na de crisis was dat nog maar dertien gulden en eind 1995 amper tien gulden. Dat was de helft van de waarde in 1982. De vaste wisselkoers tussen de mark en de Franse frank kon alleen overeind gehouden worden door massieve interventies op de valutamarkten in de week na het Franse referendum over het Verdrag van Maastricht. De gevolgen van deze crisis voor het vertrouwen in de muntunie waren dramatisch. Diegenen die vertrouwen hadden gesteld in het monetair beleid van de autoriteiten, hadden enorme bedragen verloren, diegenen die de autoriteiten hadden gewantrouwd waren schatrijk geworden. De twijfel van de markten aan de onvoorwaardelijke toewijding van landen aan vaste wisselkoersen en uiteindelijk aan één munt, speelt in de huidige crisis opnieuw een belangrijke rol. Alleen door zich met handen en voeten te binden aan de onomkeerbaarheid van een muntunie kan die twijfel worden weggenomen.

Met een geloofwaardig beleid onder leiding van de ECB zou in een muntunie aan de hoge inflatie en rente een einde kunnen komen. Dat lukte ook. Al in de aanloop van de monetaire unie daalde de inflatie vooral in de zuidelijke eurolanden en bleef die na de introductie van de euro op een stabiel laag niveau. Een lage en stabiele inflatie draagt bij aan een stabiel macro-economisch klimaat. Het risico op investeringen neemt af, de nominale rente is lager en geld lenen wordt goedkoper. Voor landen als Italië, Griekenland, Spanje en Portugal heeft de EMU bijgedragen aan een lage inflatie. Dat is voor die landen een belangrijk voordeel van een gemeenschappelijke munt. Voor Nederland geldt dit niet, omdat het monetaire beleid al decennia aan dat van Duitsland gekoppeld was. Een Nederlander betaalde voor een Duitse mark toen 1,27. Dat was zo in 1984 en dat was nog steeds zo in 1999 bij de introductie van de euro. In de tussenliggende periode is de mark wel eens een paar tienden van een cent duurder en goedkoper geworden, maar dat valt in het niet bij de halvering van de waarde van de Italiaanse lire. Vanwege de langdurige en strikte koppeling aan de mark voerde Nederland in feite al geen onafhankelijk monetair beleid meer en ging de invoering van de euro niet ten koste van beleidsvrijheid. In 1983 was die beleidsvrijheid voor het laatst gebruikt toen Nederland de opwaardering van de Duitse mark niet volledig volgde. De financiële markten zagen dat als een zwakte en Nederland moest langere tijd een hogere rente op staatsobligaties aanbieden om zijn schuld te financieren.

De euro heeft dus voordelen. De gemeenschappelijke munt beperkt transactiekosten, er zijn geen wisselkoersschommelingen meer, prijzen worden transparanter, de concurrentie neemt toe, risico's kunnen beter gespreid worden en de geloofwaardigheid van het monetaire beleid neemt toe. Uiteindelijk moet dit zich vertalen in meer groei. Maar het precieze effect van de EMU op groei is lastig vast te stellen. De euro is geïntroduceerd in een dynamische wereld. Er wordt jaarlijks veel geïnvesteerd en vele mensen veranderen van baan. Daar staat geen etiket op: het gevolg van de euro. Daarnaast kunnen er veel jaren overheen gaan voordat meer concurrentie tot meer innovatie en productiviteit leidt. Een van de weinige studies die het effect van de EMU op productiviteit probeert te meten, concludeert dat deze in Nederland, België, Duitsland, Frankrijk en Italië twee procent hoger ligt in 2008 dan zonder euro het geval zou zijn geweest. Dat is een duidelijk voordeel, maar voor Nederland veel kleiner dan de effecten van de interne markt. Voor landen als Spanje, Italië, Ierland en Griekenland zijn de voordelen waarschijnlijk veel groter als gevolg van een geloofwaardig monetair beleid. Dat was in elk geval zo voor de uitbraak van de Europese schuldencrisis. Met de wijsheid van nu kunnen sommige landen zich afvragen of het wel zo'n goed idee is geweest om de eigen munt in te ruilen voor een gemeenschappelijke. Dat is echter een compleet andere vraag dan of het in het eurogebied verstandig is om daar weer uit te stappen. Een monetaire unie is namelijk iets wezenlijk anders dan vastgeklonken wisselkoersen.

De kosten van uittreding

Nu de spanning in het eurogebied flink is opgelopen, kan het voor zowel zwakke als sterke landen aantrekkelijk lijken om uit de euro te stappen en de eigen munt te herintroduceren. Maar is dat ook echt zo? Het loslaten van de euro zou zwakke EMU-landen de mogelijkheid geven om de nieuwe munt te devalueren en op die manier goedkoper en concurrerender te worden. Daarnaast heeft het land geen last meer van allerlei eisen die het lidmaatschap van de EMU oplegt. Voor financieel gezonde EMU-landen kan het aantrekkelijk lijken de euro te verlaten, omdat men niet meer via het noodfonds garant hoeft te staan voor de financiële positie van andere landen. Als een land besluit om de EMU te verlaten, geven ze de eerder besproken voordelen van de euro op. Maar als een land eenzijdig uit het eurogebied stapt, zijn er ook nog andere, veel hogere kosten.

Om te beginnen moet een land – of het nu zwak of sterk is – een flinke juridische barrière nemen. Artikel 50 van het Verdrag van Lissabon voorziet in de mogelijkheid om uit de Europese Unie te stappen. Het beschrijft hoe een land kan onderhandelen met de Europese Commissie en dat het twee jaar zal duren voordat Europese verdragen niet meer van toepassing zijn. Maar er staat niets over de mogelijkheid om alleen uit de euro en niet uit de EU te stappen. Het verdrag voorziet al helemaal niet in de mogelijkheid om uit het eurogebied gezet te worden door de andere landen. Daarbij is het EMU-lidmaatschap niet vrijblijvend voor de Europese landen. Het is verplicht voor alle EU-landen tenzij die nog niet gekwalificeerd zijn, zoals Polen, Hongarije en Tsjechië, of een opt-out-clausule hebben. Dat laatste geldt voor Denemarken en het VK. Zweden heeft officieel geen opt-out-clausule, maar heeft niet aan de EMU-voorwaarden voldaan door niet aan het wisselkoersmechanisme deel te nemen. Een land kan daarom alleen uit het eurogebied stappen, als het ook zijn EU-lidmaatschap en de aanzienlijke voordelen die daarbij horen opgeeft. Dat laatste vereist volgens het verdrag een lange wettelijke procedure langs de raad voor regeringsleiders, het Europees Parlement en nationale parlementen.

De praktijk is dat eurolanden op allerlei manieren zijn verweven met de EU. Het is in de eerste plaats de interne markt met alle regelgeving die daarbij hoort. Dat zijn niet alleen economische relaties, maar ook juridische relaties. Daarnaast hebben EU-landen gezamenlijke banden met andere landen in de vorm van handelsverdragen of het Europese nabuurschapsbeleid. Er is een gemeenschappelijk veiligheidsbeleid, migratie- en asielbeleid. Justitie en politie werken bijvoorbeeld ook over de landsgrenzen heen samen. Natuurlijk zijn al deze vormen van samenwerking te ontrafelen en is daar opnieuw een vorm aan te geven als niet-EU-lid, maar dat gaat niet zonder slag of stoot. Met een omweg kan het land misschien toch weer direct lid worden van de EU zonder EMU-lidmaatschap, maar het is niet te verwachten dat het proces snel zal verlopen. Ook niet als alle EU-landen met het verzoek willen instemmen.

Toch is het niet ondenkbaar dat een land wel lid van de EU kan blijven en toch de euro opgeeft. Europese regels kunnen herschreven, creatief geïnterpreteerd, of simpelweg terzijde geschoven worden. Stel dat een land eenzijdig uit de euro stapt, wat zijn dan de economische gevolgen? We bespreken eerst wat er gebeurt als een land in moeilijkheden, zoals Griekenland, uit de euro stapt en een eigen munt introduceert. Vervolgens gaan we na wat er kan gebeuren als een gezond land besluit uit het eurogebied te stappen.

Stel het Griekse parlement besluit de drachme opnieuw in te voeren. Een dergelijke stap kan waarschijnlijk niet zomaar gezet worden. Er moet een parlementaire discussie en enige voorbereiding aan voorafgaan. De planning en invoering van de euro kostten bijvoorbeeld twee jaar. Om consumenten in staat te stellen geld uit te geven, moeten geldautomaten worden omgebouwd. Daarbij moet voldoende voorraad zijn van de nieuwe munteenheid. Waarschijnlijk is die tijd er niet in een crisis. Alles zal veel sneller moeten lopen en zonder al te veel voorbereiding. Dat is een recept voor chaos.

Alle transacties die onder Grieks recht plaatsvinden, worden dan afgerekend in een nieuwe munt, zeg de drachme. Dat geldt voor alle binnenlandse transacties en voor de transacties met een buitenlandse partij als die transactie onder Grieks recht valt. Daarnaast wordt alle overheidsschuld die onder Grieks recht valt in de nieuwe munteenheid omgezet. Alle bestaande schuldcontracten onder Grieks recht van bedrijven en consumenten volgen. De markt verwacht dat de nieuwe munt ten opzichte van de euro flink gaat devalueren. Nog voor de daadwerkelijke exit zullen geldschieters zoveel mogelijk transacties onder internationaal recht of onder het recht van andere eurolanden willen laten plaatsvinden met de euro als geldeenheid. Bezitters van bestaande schuld willen hun schuld zo snel mogelijk verkopen. Hierdoor wordt Grieks schuldpapier nog minder waard dan nu het geval is.

Mensen met vermogen in Griekenland willen dit naar andere landen verplaatsen. Dat geldt niet alleen voor spaarders, maar ook voor financiële instellingen en bedrijven. Iedereen wil zijn mogelijke verliezen beperken door bezittingen om te zetten in de munt die waardevast is en de nieuwe drachme is dat naar verwachting niet. Er ontstaat dus een massale run op het Griekse financiële systeem op het moment dat herinvoering van de drachme ook maar als een reëel risico gezien wordt. Het gevolg is dat de Griekse banken in acute financieringsnood komen en alleen dankzij allesomvattende overheidssteun kunnen overleven. En als die nieuwe munt er eenmaal is, wil iedereen deze zo snel mogelijk omwisselen. De verwachting dat de drachme devalueert is daardoor een zelfbevestigende voorspelling. De enige mogelijkheid om dat te stoppen is door kapitaalstromen van en naar Griekenland te beperken. Maar hoe voorkomt de overheid dat mensen geld opnemen en de grens over smokkelen? Banktegoeden in Griekenland zullen daarvoor tijdelijk moeten worden bevroren.

Ondertussen hebben de onzekerheid over de waarde van vermogens en investeringen en de beperkte mogelijkheden om geld te lenen van de failliete Griekse bankensector de economie stilgelegd. Er kan niet meer geïnvesteerd worden. Een economische crisis is het gevolg. Daarnaast heeft Griekenland een grote staatsschuld. Stel die staatschuld luidt in euro's. Een devaluatie van de drachme zorgt ervoor dat de bestaande staatsschuld uitgedrukt in de nieuwe drachme alleen maar toeneemt. Het ligt daarom voor de hand dat alle staatsobligaties onder Grieks recht direct geconverteerd zullen worden naar de nieuwe drachme, zodat de waarde van die schuld mee devalueert met de waarde van de drachme. Dan lijden de obligatiehouders echter grote verliezen. In hoofdstuk 6 zullen we zien dat landen die failliet gaan, vaak vrij snel weer toegang hebben tot financiële markten. Echter, internationale kapitaalverschaffers zullen hoge risicopremies en rentes vragen. Omdat Griekenland op dit moment meer uitgeeft dan het door belastingen binnenkrijgt, betekent ook een tijdelijke uitsluiting van financiële markten dat er acuut geen geld meer is voor ambtenaren, ziekenhuizen en scholen. De omvang van deze effecten bepalen is koffiedik kijken. Het gebrek aan vertrouwen dat leningen volledig worden terugbetaald zonder verlies, leidt tot veel grotere effecten dan een gewone conjuncturele inzinking. Het nationaal inkomen kan met meer dan tien procent omlaag gaan.

Als de verliezen zijn geleden, is van de gehoopte verbetering van de concurrentiepositie, waar het immers om te doen was, weinig meer over. Devaluatie geeft tijdelijk een impuls aan de export, maar de hogere importprijzen leiden waarschijnlijk al snel tot hogere lonen waardoor het concurrentievoordeel erodeert. Tenzij de overheid prijzen en lonen weet te bevriezen, heeft een devaluatie geen voordelen op de langere termijn.

Het verlaten van het eurogebied en een grote recessie in Griekenland laat ook de andere eurolanden niet onberoerd. Zolang de beslissing van Griekenland geen navolging krijgt en de financiële markten niet verwachten dat andere landen het voorbeeld van Griekenland volgen, zijn de economische gevolgen voor Nederland beperkt. Nederlandse financiële instellingen hebben nog maar weinig Griekse staatsobligaties. Nederlandse bedrijven die zaken doen met Griekenland, in 2009 goed voor zo'n 1,7 miljard, zullen de gevolgen van een crisis wel merken. Dit is nauwelijks een half procent van alle buitenlandse investeringen in Europa. Voor de handel is dat niet veel anders. De export naar Griekenland leverde in 2009 en 2010 ongeveer 2,5 miljard euro op.

De ineenstorting van de euro

Maar is het waarschijnlijk dat de financiële markten niet verwachten dat andere landen het voorbeeld van Griekenland zullen volgen, of worden gedwongen te volgen? Investeerders gaan daar in ieder geval op speculeren. De vraag is dan wat het volgende land is dat uit het eurogebied treedt. Portugal? Ierland? Of ook Spanje en Italië? Die landen zullen dan ook geconfronteerd worden met torenhoge rentes voor nieuwe leningen. En herintroductie van de eigen munt in die landen is veel schadelijker voor de Nederlandse economie. De geschiedenis rond Zwarte Woensdag laat zien hoe hevig dat soort speculaties kunnen zijn. Ze kunnen alleen worden weerstaan met massieve en gecoördineerde interventies. Hier zit ook een belangrijk verschil tussen de EMU en de monetaire unie van staten in de VS. In het geval van de VS is het namelijk volledig ondenkbaar dat een staat uit de VS zou treden. De huidige discussie laat zien dat dit niet geldt voor de EMU. De soms openlijke speculatie dat landen die zich niet aan de afspraken houden uit de euro kunnen worden gezet, heeft de onomkeerbaarheid van de monetaire unie een fikse knauw gegeven.

Een noodlijdend land ondervindt dus veel schade van uittreden. Dat ligt mogelijk iets anders als een sterk land de euro wil verlaten, bijvoorbeeld omdat het niet voor de kosten op wil draaien van wanbeleid elders, of permanent een ander land wil financieren. Als Duitsland uittreedt, betekent dat het einde van het eurogebied. Duitsland is het land dat de geloofwaardigheid van het monetaire beleid schraagt. Met Duitsland vertrekken waarschijnlijk ook andere landen met gelijke opvattingen en waarvoor Duitsland een belangrijke handelspartner is, zoals Nederland. Dan verwachten markten een koersdaling voor de euro of wat daarvan over is en een koersstijging voor de nieuwe Duitse munt. Het gevolg is een massale kapitaalvlucht van de zuidelijke landen naar Duitsland. Economen noemen dat een *flight to quality*, een vlucht naar kwaliteit.

De koersfluctuaties die hiermee gepaard gaan, stellen markten in staat om actief te zoeken naar mogelijkheden om winst te maken. Kun je met slimme financiële constructies misschien claims in euro's in claims in de Duitse munt omzetten? En hoe gemakkelijk is het om vestigingen in Duitsland te gebruiken om winsten vanuit Spanje door te sturen naar Duitsland, zodat de winst in harde Duitse valuta genoteerd wordt in plaats van in de zachte euro? Als financiële partijen met dit soort transacties posities in kunnen nemen voordat afsplitsing een feit is, valt in korte tijd heel veel geld te verdienen. Alle financiële instellingen, burgers en bedrijven met bezittingen die onder het recht vallen van één van de overblijvende eurolanden, betalen de prijs. Dat bezit wordt snel minder waard.

Voor Duitse, maar ook voor Nederlandse banken is dit een serieuze schadepost. Zij hebben veel geld uitgeleend aan landen als Italië en Spanje. Dat leidt waarschijnlijk tot een bankencrisis. Overheden moeten dan opnieuw steun verlenen om banken overeind te houden. Daarnaast neemt de nieuwe munt waarschijnlijk snel in waarde toe, wat op korte termijn negatieve gevolgen heeft voor de export. Er ontstaat veel onzekerheid, niet alleen over de waarde van bezittingen maar ook over de juridische claims. De verliezers zullen naar de rechter stappen om te zorgen dat ofwel hun oude vordering in euro's na het uiteenvallen van de EMU zijn waarde behoudt door haar om te zetten in de nieuwe mark, ofwel dat hun verplichtingen juist minder waard worden door deze om te zetten in drachmen, lires of peseta's. Ze kunnen bijvoorbeeld argumenteren dat het contract niet in euro's van de zuidelijke landen, maar in de euro die geconverteerd is naar een nieuwe Duitse munt was opgesteld. Dat is op zichzelf geen gekke claim. In landen als IJsland of Hongarije was het immers heel normaal om schulden in een andere munteenheid aan te gaan vanwege de lagere rente. En veel verhandelbare bedrijfsschuld in euro's is vaak genoteerd en uitgegeven aan de beurs in Londen. Op die contracten is Brits recht van toepassing. Wat gaat die rechter beslissen als schuldeisers claimen dat de schuld in euro's luidt die geconverteerd worden naar de nieuwe Duitse munt, terwijl schuldenaars beweren dat de schuld in euro's van andere landen is? En na de uitspraak van de rechter is meestal beroep mogelijk. Dat beroep speelt zich al snel op Europees niveau af. De vraag is dan wel of Europese verdragen zullen standhouden wanneer de euro uiteenvalt. Als er beroepsmogelijkheden bestaan, ontstaat door de slepende processen onzekerheid over de waarde van al die leningen.

De onzekere situatie lijkt op het scenario van de Europese schuldencrisis dat het ministerie van Financiën in september 2011 heeft geschetst. Het ministerie gaat niet op de oorzaken van de crisis in, maar heeft met hulp van het CPB wel de economische gevolgen op de Nederlandse economie geanalyseerd. Uitgaande van aanhoudende problemen bij de eurolanden en afboekingen op staatsobligaties gaat men ervan uit dat de aandelenkoersen met veertig procent dalen en de huizenprijzen met tien procent. De risicopremie stijgt met één procent en het consumentenvertrouwen wordt fors lager. De wereldhandel krimpt met vijftien procent. Het Nederlandse nationaal inkomen daalt met vijf procent en de werkloosheid neemt met 2,2 procent toe. Ook de staatsschuld neemt fors toe, met zo'n twintig procent van het bbp. De belangrijkste reden van de schuldtoename is het geld dat de overheid aan banken en andere financiële instellingen ter beschikking moet stellen om een complete ineenstorting van het bankwezen te voorkomen.

Dit scenario is gebaseerd op de crisis in 2008 die werd ingeleid met de vele slechte hypotheken in de VS en de val van Lehman Brothers. In een mum van tijd was het vertrouwen in het financiële systeem weg. Banken durfden elkaar geen geld meer uit te lenen, omdat men niet wist in hoeverre de tegenpartij was besmet met slechte Amerikaanse hypotheken. Men moest meer geld aanhouden om voldoende kapitaalreserves op te bouwen en slechte leningen af te waarderen, waardoor ook veel minder leningen aan bedrijven verstrekt werden. Dat Lehman-scenario wijst ook nog op een ander risico. Wat was er gebeurd als Nederland toen Lehman failliet ging, geen lid van het eurogebied was geweest? Nederlandse banken waren sterk afhankelijk van financiering door financiële markten en hadden veel deposito's van consumenten in andere landen als Spanje, Duitsland en Amerika. Het voorbeeld van IJsland laat zien dat een land met een grote financiële sector in zo'n situatie in de problemen kan komen.

De scenario's van het ministerie van Financiën gaan niet uit van een totale ineenstorting van de euro. Wel staat een gebrek aan vertrouwen door financiële markten, consumenten en in de wereldhandel centraal. Als het verlaten van het eurogebied door Griekenland of Duitsland dit gebrek aan vertrouwen verder voedt, komen de geschetste economische gevolgen snel dichterbij. In geval van Griekenland speelt dat als de markten verwachten dat nog meer landen de euro opgeven. Als Duitsland uit de EMU stapt, bestaat het eurogebied in zijn huidige vorm niet meer en zou de onzekerheid nog wel eens groter kunnen zijn. Verschillende economen en banken schetsen nog veel somberder gevolgen als het eurogebied uit elkaar valt. Dat heeft er ook mee te maken of de werking van de interne markt op het spel staat. Ook voor de landen die uit de euro stappen, zijn de economische gevolgen groot. Dat lijkt een heel hoge prijs voor het opgeven van de euro. Het opgeven van de euro is kostbaar en de kosten van nu uitstappen zijn van een heel andere orde dan indertijd de in potentie misgelopen opbrengsten als een land had besloten om niet in de euro te stappen. De afweging moet daarom ook een totaal andere zijn. Het uit de euro stappen kan voor een land alleen een overweging zijn als er geen andere opties meer bestaan, als het gemeenschappelijke project in feite is mislukt. Zo ver is het in de ogen van de meeste economen nog niet. In de volgende twee hoofdstukken zien wij dat er echter helaas wel veel is misgegaan. Veel meer dan Gerrit Zalm kon bevroeden toen hij in Maastricht zijn eerste euro's pinde.

Verder lezen

Europese Commissie, 1990, 'One market one money, An evaluation of the potential benefits and costs of forming an economic and monetary union', *European Economy 44* (Emerson rapport). http://ec.europa.eu/economy_finance/publications/publication 7454_en.pdf
De (ex ante) standaardanalyse over de voor- en nadelen van de euro uitgevoerd tijdens de discussie over de EMU.

Andrew K. Rose, 2011, 'Exchange Rate Regimes in the Modern Era: Fixed, Floating, and Flaky', *Journal of Economic Literature*, vol. 49 (3), pp. 652–672, http:www.aeaweb.org/articles.php?doi=10.1257/jel.49.3.652.
Overzichtsstudie van de kosten en baten van wisselkoersregimes.

Martin Feldstein, en Charles Horioka, 1980, 'Domestic Saving and International Capital Flows', *Economic Journal*, vol. 90, nr. 358, pp. 314–329, http://www.jstor.org/stable/pdfplus/2231790.pdf?acceptTC=true.

Waarom leidt liberalisering van kapitaalmarkten niet tot massale investeringen? De geschatte koppeling tussen nationale besparingen en investeringen is nog honderden malen herhaald.

Philip Lane, 2008, 'EMU and financial integration', IIS Discussion Paper 272, http://www.tcd.ie/iiis/documents/discussion/pdfs/iiisdp272.pdf.
Welke integratie heeft plaatsgevonden op kapitaalmarkten als gevolg van de invoering van de euro.

Barry Eichengreen, 2007, 'The Breakup of the Euro Area', NBER Working Paper 13393, http://www.nber.org/papers/w13393.pdf.
Kosten en obstakels om de EMU te verlaten en de beperkte voordelen van deze stap.

Voor meer achtergronden bij dit hoofdstuk en informatie over de onderwerpen, zie www.cpb.nl/publicatie/europa-in-crisis.

4
De financiële sector als Europees zorgenkind

'The ECB has been lucky: it has not yet faced a financial crisis. It will one day. Better, therefore, to reform the system beforehand. Sadly, history shows that it always takes a crisis to persuade policymakers to act.'

THE ECONOMIST, FINANCIAL MARKETS AND
THE EURO: NO HONEYMOON, 1998

- De schuldencrisis vergroot de problemen van Europese banken en de problemen bij banken vergroten de schuldencrisis.
- De crisis kan niet worden opgelost zonder snelle herkapitalisatie van het Europese bankwezen.
- Voor een structurele oplossing van de crisis is de totstandkoming van één Europees bankentoezicht met één Europees reddingsfonds voor banken noodzakelijk.
- Omdat overheden en toezichthouders hard ingrijpen bij banken vaak te lang uitstellen, zijn vaste regels nodig die toezichthouders tot ingrijpen dwingen.

Het statige gebouw van de Europese Centrale Bank (ECB) in Frankfurt vormt het zenuwcentrum van de centrale banken in Europa. Hier wordt het centrale betalingssysteem voor het eurogebied beheerd en beslissen centrale bankiers over monetair beleid, beslissingen die landen en economieën van koers kunnen doen wijzigen. Maar op een vrijdag in april 2006 kwamen de centrale bankiers niet om beslissingen te nemen, maar om een spel te spelen. Een simulatiespel waarin de centrale bankiers van de eurolanden een financiële crisis zouden naspelen. Om het zo echt mogelijk te laten lijken, werd het faillissement van een grote, grensoverschrijdende Europese bank gesimuleerd met *realtime* marktdata en informatie. Er was een jaar van voorbereiding aan voorafgegaan en er deden honderden werknemers van de nationale centrale banken aan mee. Dat spel was een gevolg van de introductie van de euro. Daardoor raakten de financiële markten in Europa sterk met elkaar verweven en konden toezichthouders niet meer op eigen houtje beslissingen nemen. Het vorige hoofdstuk eindigde met het extreme scenario van het uiteenvallen van de monetaire unie. Dat scenario ging onze centrale bankiers in april 2006 nog veel te ver. Dat was niet zo gek, de euro was immers een succes!

Eén Europese financiële markt, maar nationaal toezicht

Na de introductie van de euro veranderde de Europese financiële sector ingrijpend van structuur. Europese bedrijven omarmden de euro nadat deze in 1999 werd ingevoerd als virtuele munteenheid. Grote bedrijven zoals Siemens, Fiat en Philips hanteerden de euro al snel als munteenheid voor hun interne transacties en administratie. Ze verwachtten van kleinere toeleveranciers dat zij orders in euro's accepteerden en afhandelden. Daarbij pasten grote bedrijven hun financieringsstrategieën radicaal aan. Waar ze voorheen vooral van nationale banken of aandelenmarkten afhankelijk waren, gingen ze nu geld lenen in euro's. En die lening kwam niet langer van een bank, maar van de markt, dat wil zeggen van iedereen die bedrijfsobligaties wilde kopen. Doordat de markt voor bedrijfsobligaties meer liquide werd, daalden de prijzen. Het gevolg: bedrijven gingen massaal obligaties in euro's uitgeven. De markt was zo'n succes dat zelfs Engelse bedrijven overwogen om obligaties in euro's uit te geven.

Bedrijfsobligaties waren in de VS al veel langer een belangrijke bron van financiering. Ook op andere vlakken gingen de Europese financiële markten meer op hun Amerikaanse tegenhangers lijken. Nationale beurzen van de verschillende lidstaten fuseerden, waardoor echte Europese handelsplatformen ontstonden als Europese tegenhanger van de New York Stock Exchange in de VS. Zo ontstond bijvoorbeeld Euronext uit een fusie van de Parijse, Brusselse en Amsterdamse handelsbeurzen. Later kwamen daar nog de Portugese beurs en de Londense optie- en termijnbeurs bij. Europese investeringsfondsen gingen minder investeren in hun thuismarkten en meer in markten van andere Europese landen. Waar voorheen geografische factoren bepalend waren voor beleggingsfondsen, ontstonden nu fondsen die investeerden in Europese farmaciebedrijven, Europese nutsbedrijven of in de Europese voedingssector. In navolging van de gemeenschappelijke Europese markt voor goederen die in hoofdstuk 2 werd beschreven, ontstond zo één Europese financiële markt.

Het ontstaan van één Europese financiële markt had directe gevolgen voor de banken. Nederlandse, Engelse, Spaanse en Franse banken, lang opgesloten binnen de grenzen van hun land, betraden nu ook de financiële markten van andere landen. Nederlandse consumenten openden spaarrekeningen bij IJslandse banken zoals Icesave, of sloten hun hypotheek af bij Engelse banken, zoals de Bank of Scotland. De risico's die Nederlandse consumenten liepen, werden daardoor mede bepaald door Engelse en IJslandse toezichthouders. Het Nederlandse ING Direct was erg succesvol in het aantrekken van spaargeld in Spanje en Duitsland. Onrust op de financiële markten in die landen zou daardoor directe gevolgen hebben voor de Nederlandse financiële sector. Maar de belangrijkste verandering was de leningen die banken op hun balans hadden staan. Duitse banken financierden vastgoed in Spanje en Ierland. Grensoverschrijdende leningen tussen banken als percentage van de totale bezittingen van banken groeiden van 15,5 procent in 1997 naar 23,5 procent in 2008. In 1997 was nog maar 12 procent van de schuld van banken in handen van banken uit andere landen. In 2008 was dit gegroeid naar ruim 31 procent. In 2007 bezaten 46 van de in totaal 8.000 Europese banken 68 procent van alle Europese bancaire bezittingen; vijftien van deze banken hadden minstens een kwart van hun bezittingen in andere EU-landen en hadden in minstens een kwart van alle EU-landen een vestiging.

Het toezicht op financiële markten en financiële instellingen zoals banken bleef echter gewoon nationaal. Een Nederlandse toezichthouder hield toezicht op Nederlandse banken, ook als die bank voor een groot deel in het buitenland actief was, zoals de ING Bank. Deze bank was met een balansomvang van iets meer dan 1.300 miljard euro in 2007 de vijftiende bank ter wereld. Een andere Nederlandse bank, ABN AMRO, sprak de ambitie uit om tot de vijf grootste investeringsbanken ter wereld te behoren. En De Nederlandsche Bank telde als toezichthouder op zulke grote, mondiale banken ook internationaal mee.

Dat het toezicht in Europa zich niet direct aanpaste aan een veranderende structuur van de financiële markten en toenemend systeemrisico, was overigens niet zonder precedent. In de VS bijvoorbeeld, bleef het toezicht na invoering van de Glass-Steagall-wet als reactie op de crisis van de jaren dertig, meer dan vijftig jaar hetzelfde, terwijl de financiële sector in de VS compleet van structuur was veranderd. Uiteindelijk was er in de jaren tachtig van de vorige eeuw een diepe financiële crisis nodig, de Savings & Loan crisis, om de Amerikaanse politiek zover te krijgen het toezicht aan te passen, waarover later meer.

Politici en toezichthouders bedachten allerlei argumenten waarom toezicht op banken nationaal moest blijven. De Britten geloofden dat concurrentie tussen toezichthouders tot efficiënter en beter toezicht zou leiden. Banken zouden immers naar die landen toetrekken waar het toezicht het efficiëntst was. Een ander argument was dat nationale toezichthouders meer inzicht zouden hebben in de lokale bijzonderheden van de financiële sector. In Duitsland bijvoorbeeld, werd de financiële markt voor consumenten en kleine bedrijven gedomineerd door de kleine, lokale *Sparkassen* en hun grote broers, de *Landesbanken*, die als een soort centrale bank voor Sparkassen fungeerden en op deelstaatniveau opereerden. Deze banken zijn eigendom van de overheid, een uitzondering in Europa. De Sparkassen hadden het grootste deel van de consumentenmarkt en leningen voor het midden- en kleinbedrijf in handen. In Spanje had je de *Cajas*, banken op provincieniveau. Dit waren een soort stichtingen; grofweg driekwart van hun winst werd teruggeleid naar de bank en opnieuw geïnvesteerd. De overheid had een belangrijke rol in de raad van bestuur van deze banken. In Nederland was de bancaire sector zeer geconcentreerd met drie grote banken die op vrijwel alle fronten de Nederlandse financiële markt domineerden. Daarbij hadden deze banken grote buitenlandse activiteiten. De betere inzichten en informatie stelden lokale toezichthouders beter in staat om risico's in te schatten en binnen te perken te houden, zo was de gedachte.

Een laatste argument was dat ieder land het toezicht op zijn eigen manier had vormgegeven. Het ene land had een aparte centrale bank en een aparte toezichthouder, terwijl in het andere land het toezicht bij de centrale bank was ondergebracht. In Oostenrijk hield een departement van een ministerie toezicht op financiële markten, iets wat in Ierland door de centrale bank gebeurde. In Nederland hield de centrale bank toezicht op banken, maar niet op markten, dat deed immers de Autoriteit Financiële Markten. Frankrijk had twee toezichthouders, terwijl Duitsland er drie had. Het VK had een toezichthouder die zowel de banken als financiële markten in de gaten hield. In Italië hadden commerciële banken zelfs een meerderheidsbelang in de centrale bank. Zij waren als het ware de bezitters van de centrale bank die ook toezicht moest houden, iets wat pas veranderde nadat de president van de centrale bank, Fazio, tevergeefs probeerde een overname van Antonveneta door ABN AMRO te blokkeren ten gunste van Banca Popolare.

Maar in tegenstelling tot de argumenten van toezichthouders en politici was de werkelijkheid totaal anders. Het vasthouden aan nationaal toezicht, terwijl financiële markten steeds verder integreerden en grensoverschrijdende banden tussen banken toenamen, vormde een groot probleem. Een belangrijk gevolg van een meer geïntegreerd financieel systeem was namelijk dat verkeerd, te laat, of te slap ingrijpen bij banken in het ene land grote gevolgen kon hebben voor banken in andere landen. Doordat banken in verschillende Europese landen veel meer leningen aan elkaar hadden uitstaan, betekende het faillissement van een bank in het ene land dus een direct verlies voor banken in het andere land. En grote grensoverschrijdende banken waren in meerdere landen actief. Een Franse bank met een grote leningenportefeuille in Spanje stond dus direct bloot aan de risico's op de Spaanse vastgoedmarkt. Immers, als die vastgoedmarkt instortte, zou de Spaanse economie in het slop raken en zou de Franse bank verliezen moeten nemen op haar investeringen. En Duitse en Nederlandse banken hadden weer leningen uitstaan bij Franse banken. Als Franse banken in de problemen zouden komen, had dat dus direct zijn weerslag op de gezondheid van Duitse en Nederlandse banken.

Dat betekende dat risico's in landen als Spanje, Griekenland, Portugal en Ierland relevant werden voor de Nederlandse toezichthouder. Maar de Nederlandse toezichthouder kon natuurlijk niet ingrijpen als Spaanse of Ierse banken een opkomende luchtbel versterkten door te gemakkelijk leningen te verstrekken. Dat moest de Spaanse of Ierse toezichthouder doen en die zou niet zomaar rekening houden met Nederlandse belangen. Het enige dat telde voor de Spaanse toezichthouder, waren de risico's voor het Spaanse financiële systeem en niet die voor Nederlandse banken. En hoe moest de Nederlandse toezichthouder omgaan met buitenlandse banken die op de Nederlandse markt actief waren? Kon hij wel vertrouwen op het toezicht in IJsland of België? Omgekeerd werden risico's die Nederlandse banken namen relevant voor Duitse, Spaanse of Belgische spaarders. En wie was de Belgische toezichthouder om De Nederlandsche Bank te vertellen hoe ze toezicht moest houden op Nederlandse banken? Daarbij raakten de economische risico's in Europa als gevolg van de financiële en economische integratie steeds meer met elkaar vervlochten. De kans dat meerdere Europese banken tegelijk in de problemen zouden komen, was daardoor ook toegenomen. De gezondheid van Duitse, Engelse of Franse banken en de kwaliteit van het toezicht in andere Europese landen werden daarmee ook bepalend voor de kans dat Nederlandse banken in de problemen zouden komen.

Nu is het niet automatisch zo dat een toezichthouder in het ene land onvoldoende doet om problemen in het andere land te voorkomen. Er bestaan immers diverse overlegorganen en allerlei protocollen die tot doel hebben om toezichthouders te laten coördineren. Als er voldoende mogelijkheden en prikkels zijn om te coördineren, kan dit probleem in theorie worden opgelost. In de praktijk hebben Spaanse en Ierse banken grote risico's genomen door te veel en te gemakkelijk geld uit te lenen. Dit gedrag heeft grote consequenties voor banken in heel Europa. Daarbij kan de coördinatie gemakkelijk spaaklopen als snel moet worden ingegrepen, zeker als de belangen van landen sterk uiteenlopen. Dat is in een crisissituatie bijna altijd het geval. Denk bijvoorbeeld aan de redding van Fortis, waarbij de coördinatie tussen de drie betrokken landen, Nederland, België en Luxemburg, slecht verliep.

Toen de 25 Europese ministers van Financiën in 2005 besloten om niet-bindende afspraken te maken over informatie-uitwisseling tussen toezichthouders in geval van een dreigende crisis, kwam dat dus rijkelijk laat – alhoewel toen van een crisis nog geen sprake was. Sommige ministers wilden verder gaan en een Brusselse supertoezichthouder creëren die toezicht moest houden op de planning van crisismanagement, maar dat voorstel werd afgewezen. De afspraken bleven in eerste instantie overigens geheim – zoals gebruikelijk in bankenland. Banken, toezichthouders en ministers van Financiën hielden ongeveer alles wat met banken te maken had, geheim: details van de balans van banken, de risico's waaraan ze blootstonden, hun toekomstplannen en de visie van de toezichthouder daarop. Zo geheim, dat landen ook niet van elkaars banken wisten hoe het er precies voorstond. Maar aangezien financiële markten steeds meer geïntegreerd raakten was het gevaarlijk dat toezichthouders niet snel konden nagaan wat de impact zou zijn van een faillissement van een bank in het ene land op banken in het andere land.

De ministers besloten tijdens die bijeenkomst in 2005 ook om een jaar later het eerder beschreven simulatiespel te organiseren bij de ECB in Frankfurt, waarbij ze het faillissement van een grote grensoverschrijdende bank zouden naspelen. Toezichthouders in verschillende landen zouden daarop moeten reageren door informatie bij elkaar op te vragen en uit te wisselen. Dan zou blijken hoe goed het memorandum van begrip werkte. Ze wisten toen nog niet dat twee jaar na die simulatie een echte financiële crisis zou uitbreken waarin banken een centrale rol speelden.

Van groeiwonder naar risico voor Europa

De grotere financiële verwevenheid binnen Europa en daarmee het belang van betere coördinatie tussen toezichthouders kwam niet voor iedereen onverwacht. Economen als Barry Eichengreen, maar ook de Nederlandse econoom Dirk Schoenmaker hadden hier al in een vroeg stadium van de introductie van de euro op gewezen. Maar de introductie van de euro had nog een tweede, onvoorzien gevolg: de rentes op de overheidsleningen aan de zuidelijke lidstaten van de Economische en Monetaire Unie (EMU) daalden in de aanloop naar de introductie van de euro spectaculair.

De rentes voor de perifere eurolanden dalen snel in aanloop naar de EMU

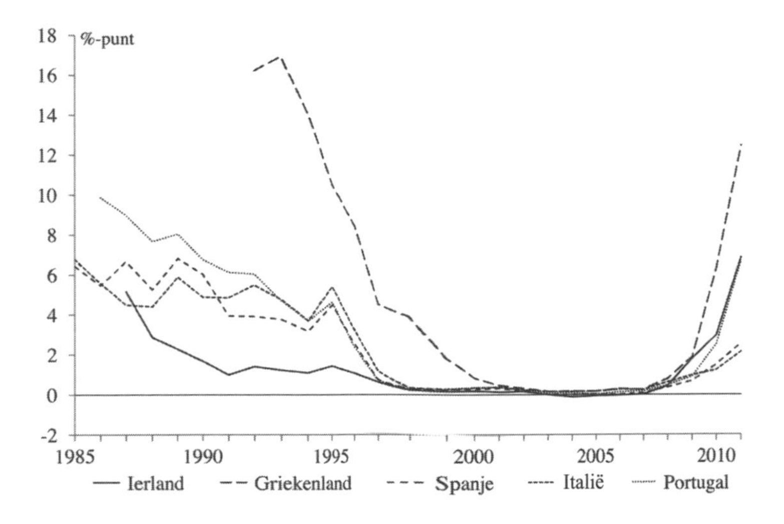

Een verklaring voor die daling van de rente luidde dat investeerders in de zuidelijke landen voorheen een groot valutarisico liepen. Vóór 1990 fluctueerden de wisselkoersen van landen als Griekenland, Italië en Spanje door het daar gevolgde monetair beleid. Dat risico liepen investeerders nu niet meer. De ECB had immers onder de leiding van haar eerste president Wim Duisenberg het beleid van de Duitse Bundesbank voortgezet. Dat was natuurlijk ook een ijzeren voorwaarde van de Duitsers voor deelname aan de EMU. Geen valutarisico betekende een lagere vergoeding. De rentes van Griekse, Spaanse, Italiaanse en Portugese staatsobligaties daalden tot net boven het Duitse niveau.

Daarbij werden de obligaties van alle landen plotseling een stuk beter verhandelbaar. De ECB behandelde de obligaties van verschillende eurolanden namelijk als identiek onderpand voor een tijdelijke lening van de centrale bank. De liquiditeitspremie die de investeerders vroegen voor leningen aan landen zoals Spanje en Portugal, nam daardoor af. Of je de ECB nu een Portugese, een Spaanse, of een Duitse staatsobligatie als onderpand gaf, het maakte niet uit. In alle gevallen was de waarde van het onderpand gelijk aan de marktwaarde. Een Griekse staatsobligatie van honderd euro met een marktwaarde van tachtig euro was dus als onderpand tachtig euro waard. Dat was meer dan de onderpandwaarde op de markt, waar vaak nog een extra afslag werd toegepast.

Maar waar het valutarisico afnam en liquiditeit toenam, bleef kredietrisico gewoon bestaan. Het kon immers nog steeds gebeuren dat landen met te hoge schulden niet langer in staat zouden zijn hun crediteuren te betalen. De kans op wanbetaling door Griekenland op een lening van dertig jaar was nog altijd groter dan de kans op wanbetaling door Duitsland op een vergelijkbare lening. De landen hadden dan wel een gezamenlijke munt, maar waren nog altijd zelf verantwoordelijk voor de gezondheid van hun economie. En die gezondheid is de belangrijkste factor die bepaalt hoeveel geld een land kan lenen en uiteindelijk kan terugbetalen. Daarom bevat het Verdrag van Maastricht uit 1992 ook een *no-bailout* clausule, artikel 104b, die bepaalt dat landen niet verantwoordelijk waren voor elkaars schulden. Kopers van Duitse staatsschuld liepen dan ook nog steeds veel minder risico dan kopers van Griekse staatsobligaties.

Waarom daalde de rente op Griekse obligaties dan toch zo hard met de introductie van de euro? Wat was er met het kredietrisico gebeurd? Een verklaring hangt samen met de geloofwaardigheid van de no-bailout clausule uit het Verdrag van Maastricht. Stel dat financiers geloven dat andere landen uiteindelijk toch bijspringen wanneer de schuldenlast van Griekenland te groot wordt. Dan is de kans op terugbetaling ineens een stuk toegenomen. De vergoeding die financiers vragen voor kredietrisico kan dan omlaag. En zo'n geloof zou wel eens zelfbevestigend kunnen zijn. Hoe meer banken geld leenden aan landen als Spanje, Italië, Griekenland en Portugal, hoe groter de kans dat andere landen in de bres zouden springen als het erop aankwam. Want betalingsproblemen van die landen betekenden dan een financiële klap voor de banken die geld uitgeleend hadden. En als de financiële sector van landen als Duitsland en Nederland in de problemen zou komen, dan kwamen ook de economieën van die landen in de problemen. In hoofdstuk 7 zullen we zien dat het wantrouwen ten opzichte van de no-bailout clausule niet zonder rede was. Veel centrale bankiers voelden er weinig voor deze clausule daadwerkelijk toe te passen.

Een andere mogelijke verklaring voor de lage rentes was dat men vertrouwen had in het Stabiliteitspact. Als dat zou werken, zouden schulden binnen de perken blijven en de groeiperspectieven verbeteren. En een groeiende economie zorgt ervoor dat de schuld ten opzichte van het nationaal inkomen afneemt, zelfs als het absolute niveau van de schuld gelijk blijft. Daarbij zou het wel eens zo kunnen zijn dat weg infleren van schulden gemakkelijker is dan failliet gaan. Omdat inflatie geen optie meer was, zouden landen dus beter hun best gaan doen om de overheidsfinanciën op orde te krijgen, zo was de gedachte. Al met al zou de kans op wanbetaling flink afnemen en dus ging het kredietrisico omlaag. Ook het Stabiliteitspact bleek uiteindelijk niet te werken, mede doordat nota bene Duitsland het aan zijn laars lapte. In het volgende hoofdstuk leggen we uit hoe dit zo heeft kunnen gebeuren.

Hoe het ook zij, in navolging van de markt stelden ook kredietbeoordelaars zoals Standard & Poor's, Moody's en Fitch hun kredietinschattingen (*ratings*) voor zuidelijke landen naar boven bij. Dat maakte schuld uit die landen aantrekkelijker voor banken. De kapitaalseisen die toezichthouders stelden voor schuldpapier van een land, hingen namelijk samen met de ratings die kredietbeoordelaars toekenden aan dat land. Doordat die verbeterden, daalden ook de kapitaalseisen voor het aanhouden van schuldpapier van die landen. Nederlandse, Duitse en Franse banken gingen dan ook veel meer schuldpapier van EMU-landen aanhouden. In de ogen van financiers en toezichthouders had alle schuld van Europese landen plotseling een AAA-rating. Voor financiële markten waren we allemaal Duitsers geworden.

Doordat het bankwezen van een land zijn soliditeit deels ontleent aan de soliditeit van de achterliggende garanties van de nationale overheid, leidt een hogere kredietwaardigheid van die overheid ook tot een hogere kredietwaardigheid van dat bankwezen. De lagere rentes voor de Spaanse en Ierse overheden leidden daarmee ook tot lagere rentes voor Spaanse en Ierse banken. Zoals in hoofdstuk 1 al aan de orde kwam, konden deze banken daardoor meer en goedkoper geld uitlenen en groeiden de economieën in Spanje en Ierland bijzonder hard. Investeringskosten daalden en private investeringen schoten omhoog. Terwijl de Spaanse, Portugese en Ierse overheden hun financiën onder invloed van Europese afspraken relatief goed op orde hadden, namen de schulden in de private sector toe. Vooral de vastgoedmarkten in Ierland en Spanje floreerden. Dertien procent van de Ieren werkte in 2007 in de bouw en zelfs bijna twintig procent van de Spanjaarden. De Ierse en Spaanse banken financierden deze investeringen. Zelf hadden zij daarvoor onvoldoende middelen. Daarom leenden ze dat geld van Franse, Nederlandse en Duitse banken. Die banken leenden op hun beurt maar wat graag geld aan deze snel groeiende landen met een laag debiteurenrisico. Deze banken liepen dus ook risico als de huizenmarkt in Ierland en Spanje zou instorten.

Hier gebeurde van alles wat economen nog niet goed begrijpen: waarom namen de banken zoveel risico door de luchtbel te financieren? Was het toezicht in Spanje en Ierland beneden de maat, waardoor banken ongestoord hun gang konden gaan? Maar waarom leenden Duitse en Franse banken dan geld uit aan die Spaanse en Ierse banken? Vertrouwden zij ten onrechte het toezicht in die landen? En waarom ontstond de luchtbel in de huizensector, maar niet in andere sectoren? Welke rol speelt het op Duitsland georiënteerde rentebeleid van de ECB? De rente was daardoor in Spanje en Ierland eigenlijk te laag.

Heen en weer tussen bankencrisis en schuldencrisis

Toen de Amerikaanse huizenmarkt in 2007 in elkaar stortte, volgde een reeks gebeurtenissen die in het CPB-boek *De Grote Recessie* uitgebreid is beschreven. Banken die direct blootstonden aan de slechte Amerikaanse hypotheken, leden flinke verliezen. Het eigen vermogen van die banken kreeg een klap en sommige banken moesten voor steun aankloppen bij de overheid. Niemand wist echter welke banken er nog meer slecht aan toe waren. Banken wilden elkaar daarom geen geld meer lenen, waardoor de interbancaire leenmarkt opdroogde. De ECB en de Amerikaanse FED moesten noodkredieten verstrekken aan bijna alle banken (dus niet alleen banken die zelf hadden belegd in slechte hypotheken) om te voorkomen dat ze omvielen.

Ook de tekortkomingen van het Europese toezichtkader kwamen genadeloos aan het licht. De simulatie van een crisis door de ECB uit 2006 richtte zich vooral op informatie-uitwisseling tussen toezichthouders. Geconstateerd werd dat de interactie en samenwerking tussen de verschillende crisismanagementteams goed verlopen waren. Er hadden wel veertig teleconferenties plaatsgevonden. De nationale centrale banken en de ECB hadden twee gecoördineerde persberichten doen uitgaan. Er was veel informatie uitgewisseld over marktontwikkelingen. De sluitingstijd van het betalingssysteem was verruimd en de noodvoorziening van liquiditeit was gestart. De conclusie luidde dan ook dat de simulatie liet zien dat het Eurosysteem effectief kon reageren tijdens een crisis.

Maar instrumentarium dat niet bestond, kon ook niet worden getoetst. In de EU bestond geen raamwerk om banken te herstructureren. Overheden konden banken niet op een ordelijke manier failliet laten gaan. In Nederland bijvoorbeeld, vielen banken onder min of meer dezelfde faillissementswetgeving als bedrijven. Wanneer de toezichthouder een bank failliet wilde verklaren, moest er eerst toestemming aan een rechter gevraagd worden. Die kon de noodregeling van toepassing verklaren. Die regeling stelde De Nederlandsche Bank in staat bewindvoerders te benoemen die het bestuur van een bank tijdelijk overnemen en konden bekijken of de bank nog levensvatbaar was. De gang van zaken bij DSB liet zien waar dit toe kon leiden. De rechter weigerde in eerste instantie de noodregeling van toepassing te verklaren. Maar bij banken geldt dat een bankier die moet bewijzen dat hij kredietwaardig is, die kredietwaardigheid al verloren heeft. Op het moment dat bekend wordt dat de toezichthouder naar de rechter stapt, zullen de depositohouders van banken hun tegoeden meteen opeisen. Een toezichthouder moet daarom het roer bij een bank kunnen overnemen voordat een bank écht failliet is en zonder dat de rechter daar aan te pas komt.

Overheden zagen mede door het ontbreken van goede faillissementswetgeving voor banken weinig mogelijkheden om de schuldeisers van banken mee te laten betalen op het moment dat een bank in zwaar weer terechtkwam en faillissement dreigde. Ierland was een extreem voorbeeld hiervan. Daar garandeerde de Ierse regering eind 2008 botweg alle uitstaande schulden van banken. Zoals die van Anglo-Irish, een bank die snel gegroeid was door in onroerend goed te investeren. Het ongecoördineerd verhogen van de garanties werkte destabiliserend. Geld trok daarheen waar de garanties het hoogst waren. En ook in andere landen kregen banken kapitaalinjecties en werden allerhande steunmaatregelen in het leven geroepen zonder dat banken of de schuldeisers van banken daaraan hoefden bij te dragen.

Na de bankencrisis gebeurde wat de economen Kenneth Rogoff en Carmen Reinhart in hun prachtige boek *This time is different: Eight Centuries of Financial Folly* uit 2009 hadden voorspeld: de bankencrisis werd een schuldencrisis. Overheden namen de schulden van banken over. Door de economische recessie die volgde op de bankencrisis van 2008, daalden de groeivooruitzichten en dus de belastingkomsten. Landen lanceerden stimuleringsprogramma's. Dat kostte allemaal geld, waardoor de overheidstekorten toenamen.

Waarom heeft een financiële crisis zulke grote gevolgen voor de economische groei? Als banken verliezen lijden, kunnen ze hun kapitaal op verschillende manieren aanvullen (herkapitaliseren). Ze kunnen nieuwe aandelen uitgeven, winsten inhouden of minder leningen gaan uitgeven, zodat de gedaalde hoeveelheid kapitaal weer toeneemt als percentage van de uitstaande leningen. Als banken zich kunnen herkapitaliseren, dan hebben hun verliezen weinig impact op de economie. Zij kunnen dat op twee manieren bereiken: door nieuwe aandelen uit te geven of door winsten in te houden. De eerste optie, de uitgifte van nieuwe aandelen, gaat ten koste van de zittende aandeelhouders. Die blokkeren deze uitgifte dus zo lang mogelijk. En aandelenuitgifte geeft het signaal dat de bank in de problemen zit, iets wat het bankmanagement wil vermijden. De tweede mogelijkheid, winsten inhouden, gaat langzaam, zeker als de economie het moeilijk heeft. Dus blijft er minder kapitaal over om leningen uit te geven. En dat is dan ook wat banken doen als hun eigen vermogen klappen oploopt: ze gaan minder leningen uitgeven. Dat kan door domweg te rantsoeneren, maar ook door de rentetarieven te verhogen. Het gevolg: bedrijven kunnen hun investeringen niet meer financieren en de economische groei stagneert.

Als bedrijven eenmaal in de problemen zitten treedt een ander mechanisme in werking, waardoor de problemen zichzelf versterken. Als bedrijven willen investeren, moeten ze daarvoor vaak leningen afsluiten. De verstrekkers van die leningen, bijvoorbeeld banken of investeerders, willen veelal onderpand krijgen in ruil voor een lening. Dat onderpand bestaat uit de bezittingen van bedrijven die leningen willen. Maar tijdens een recessie worden die bezittingen minder waard. Dat betekent dat bedrijven minder kunnen lenen waardoor ze minder investeren. Het gevolg: nog minder economische groei, meer leningen die niet worden afgelost, en nog verder dalend eigen vermogen van banken.

De groeiende overheidsschuld leidde voor het eerst tot problemen bij Griekenland. Het gevolg was iets wat de ontwerpers van Europa over het hoofd hadden gezien. Naar aanleiding van de problemen van Griekenland realiseerden financiële markten zich dat de schuld van het ene euroland niet hetzelfde was als de schuld van het andere euroland: Griekse staatsschuld was tóch risicovoller dan Duitse. Toen de staatsschuld van de perifere eurolanden in waarde opliep, stegen langzaamaan de rentes die andere mogelijk risicovolle landen als Ierland, Portugal,

Spanje en Italië moesten betalen op hun overheidsschuld. Doordat de kans op een faillissement in de ogen van de markt toenam, daalde ook het eigen vermogen van de banken die overheidsschuld uit die landen op de balans hadden. Daarmee daalde de kredietwaardigheid van die banken. Europese banken houden disproportioneel veel schuld van hun thuisland op de balans: Griekse banken hielden veel Griekse staatsschuld aan, Spaanse banken hadden veel Spaanse schuld en Italiaanse banken veel Italiaanse schuld. Een afwaardering van Griekse schuld zou daarom automatisch tot faillissementen van Griekse banken leiden. De financiers van Griekse banken, depositohouders en obligatiehouders, realiseerden zich dan ook dat ze een steeds groter risico liepen. Niemand wilde meer geld lenen aan Griekse banken en Griekse spaarders hevelden hun tegoeden over naar banken in Duitsland en Zwitserland. Er ontstond een bankrun op het Griekse financiële systeem. De enige die een totaal faillissement van de Griekse financiële sector verhinderde, was de ECB, die de Griekse banken het geld leende dat ze nodig hadden in ruil voor onderpand.

Het gevolg was dat banken en landen verstrengeld raakten in een verstikkende omarming. De gezondheid van banken verslechterde doordat de kredietwaardigheid van het thuisland van een bank daalde. Een eerste bancaire slachtoffer buiten de probleemlanden was de Belgisch-Franse bank Dexia, die in oktober 2011 moest aankloppen voor staatssteun en mogelijk gesplitst gaat worden in een goede en een slechte bank. De verslechterende gezondheid van de financiële sector tastte de groeimogelijkheden van de economie aan. En de haperende groei van de economie had weer negatieve gevolgen voor de kredietwaardigheid van dat land, waardoor banken nog verder in de problemen kwamen. In het begin ging het nog vooral om Griekse, Portugese, Ierse, of Spaanse banken. Markten wilden geen leningen verstrekken aan banken uit die landen, of alleen tegen hoge rentes. Maar langzamerhand is het een Europees probleem aan het worden en verstrekken bijvoorbeeld Amerikaanse *money market funds* steeds minder leningen aan Europese banken.

Het belang van de gezondheid van individuele landen voor de financiële sector stond in schril contrast met de situatie in de VS. Banken in Californië hadden bijvoorbeeld in het geheel geen last van de diepe financiële problemen van de Sunshine State. Een eerste groot verschil zat hem in de beperkte hoeveelheid schuld van de Californische overheid die Californische banken op hun balans hadden. Een tweede groot verschil had te maken met het vangnet. Europese banken leunden op impliciete en expliciete garanties van hun nationale overheid. Als die failliet ging, viel ook het vangnet weg. Daarentegen zijn depositogaranties en andere reddingsmaatregelen voor Californische banken op federaal niveau geregeld. Een faillissement van de Californische overheid doet hier geen afbreuk aan. Tot slot is de Amerikaanse bancaire sector niet alleen qua omvang veel kleiner dan die in Europa, maar zijn er ook minder grote banken.

Overheden stelden ingrijpen bij banken uit

Die verstikkende omarming van banken en overheden had deels voorkomen kunnen worden als banken beter gekapitaliseerd waren geweest. Zoals we hiervoor zagen, zullen banken uit zichzelf echter niet voor snelle herkapitalisatie kiezen, omdat dat ten koste gaat van de huidige aandeelhouders.

In 2009 en 2010 – de eerste jaren na de crisis – bleek dat Europese toezichthouders en overheden geneigd waren problemen bij banken niet erg doortastend aan te pakken. Eerst leek Europa nog voortvarend te werk te gaan. In navolging van de VS besloot ook Europa om stresstesten uit te voeren op de belangrijkste banken. Die stresstesten zouden duidelijk moeten maken welke banken gezond en welke ongezond waren. De Europese stresstesten bleken echter een stuk minder streng dan hun Amerikaanse tegenhangers. Waar de Amerikanen de lat voor het predicaat 'gezond' relatief hoog legden en – in ieder geval in de perceptie van de markt – strenge testen hadden uitgevoerd, ontstond in Europa een discussie waarin nationale belangen voorop stonden. Er mochten niet teveel details gepubliceerd worden. Overheidsschuld moest worden uitgesloten van de scenario's, want het idee dat Europese overheden in betalingsproblemen zouden kunnen komen, mocht niet eens ter sprake komen. Geen enkel scenario bevatte dus afschrijving van de Griekse overheidsschuld. De scenario's mochten niet te streng zijn. Toen de stresstesten uiteindelijk uitgevoerd waren en de resultaten gepubliceerd werden, geloofde niemand meer dat banken die slaagden voor de test ook daadwerkelijk gezond waren. En dat geloof werd bevestigd toen enkele maanden na de stresstesten de Ierse overheid meerdere van de zogenaamde gezonde banken moest redden. Hetzelfde gebeurde met de tweede Europese stresstest, die slechts enkele maanden later gevolgd werd door het faillissement van Dexia, ook een bank die de stresstest eerder glansrijk had doorstaan.

De zwakke stresstesten waren een manier om ingrijpen uit te stellen. Dat uitstelgedrag was niet nieuw. Ook Amerikaanse toezichthouders stelden tijdens de Savings & Loan crisis van de jaren tachtig ingrijpen bij banken lang uit. In plaats daarvan gaven ze banken de ruimte om verliezen te negeren in de hoop dat de bankensector er vanzelf weer bovenop zou komen. De toezichthouder versoepelde daarvoor zelfs de regels. In economentermen heet dit *forbearance*, oftewel uitstelgedrag. Om uitstelgedrag te verminderen is in de VS de ruimte van de toezichthouder om naar eigen inzicht in te grijpen, ingeperkt. Ook in Japan weigerde de overheid na de Japanse vastgoedcrisis in de jaren negentig van de vorige eeuw de banken te herstructureren. Het gevolg was dat ongezonde banken geld bleven lenen aan ongezonde bedrijven waardoor de economische groei bijna twintig jaar lang laag bleef.

Waar komt dat uitstelgedrag vandaan? De belangrijkste reden is dat toezichthouders aan de ene kant willen voorkomen dat banken in de problemen komen en aan de andere kant de maatschappelijke schade willen beperken wanneer een bank toch failliet dreigt te gaan. Vooraf is het optimaal om met streng ingrijpen te dreigen, maar achteraf niet. De toezichthouder zal daardoor als puntje bij paaltje komt, te zwak ingrijpen. Banken anticiperen hierop en nemen te veel risico. Dit speelt in zijn meest extreme vorm bij systeembanken. Dat zijn banken die de overheid in de praktijk nooit failliet laat gaan, omdat daardoor de stabiliteit van het financiële systeem in gevaar komt.

Daarnaast stellen toezichthouders ingrijpende maatregelen uit om reputatieschade te voorkomen. Dergelijke interventies geven aan buitenstaanders namelijk een signaal af over de effectiviteit van het preventieve werk van de toezichthouder. Ingrijpen kan een gevolg zijn van externe oorzaken die niet aan de toezichthouder te wijten zijn. Maar de buitenwereld kan interventies ook interpreteren als een signaal dat de toezichthouder niet voldoende competent is. Om die reputatieschade te voorkomen, richt de toezichthouder zich op maatregelen die minder zichtbaar zijn. Rigoureuze maatregelen worden bij voorkeur uitgesteld.

Tot slot kunnen de belangen van de toezichthouder verstrengeld raken met die van de onder toezicht gestelde. Dat geldt ook voor het toezicht op de bankensector. De toezichthouder staat onder druk om de regels en de toepassing van die regels in lijn te brengen met de belangen van de sector. Ook de wetgever kan worden beïnvloed, bijvoorbeeld doordat zij eenzijdige informatie krijgt vanuit de sector. Zoals in hoofdstuk 2 is besproken, deinzen politici en toezichthouders ervoor terug om nationale kampioenen aan te pakken. Naarmate een belangengroep homogener en beter georganiseerd is, over meer middelen beschikt en er grotere belangen op het spel staan, neemt ook de druk op politici en toezichthouders toe. Beïnvloeding vanuit de sector wordt gemakkelijker naarmate het toezicht technisch complexer en met een grotere sluier van geheimhouding omgeven is. Buitenstaanders kunnen dan minder goed controleren of een toezichthouder de juiste beslissingen neemt. Al deze factoren spelen in de bankensector. Daarom is het toezicht op de bankensector kwetsbaar.

Vanwege de neiging van toezichthouder om interventies uit te stellen, zijn Europese banken nog altijd niet gezond. En dat zorgde er weer voor dat politici en centrale bankiers lang hebben geaarzeld over herstructurering van de Griekse schuld, zoals in detail wordt beschreven in hoofdstuk 7. In plaats van een herstructurering van de schuld werden steunmaatregelen bedacht die Griekenland tijdelijk uit de brand hielpen. De redding van Griekenland was echter vooral een redding van Duitse en Franse banken. Het uitstel gaf banken de tijd om zich verder te herkapitaliseren, zo was de gedachte. Als banken dan eenmaal gezond waren, dan zou de Griekse schuld pas afgeschreven kunnen worden. Maar, zoals het CPB in een Policy Brief uit maart 2011 liet zien, leidde dit tot perverse prikkels voor het bankwezen. Immers, welke bank slooft zich uit om zich te herkapitaliseren en welke kapitaalverschaffer stort graag extra kapitaal als het enige doel van die herkapitalisatie is om daarna alsnog de verliezen op Griekse obligaties op de bankensector te kunnen afwentelen. Ondertussen liepen door dat uitstel de kosten van herstructurering op: de Griekse economie kwam verder in het slop, terwijl private financiers hun geld uit Griekenland weghaalden.

Lessen voor financieel toezicht in Europa

Welke lessen zijn nu te trekken uit deze analyse? Les één is dat toezichthouders en nationale overheden geneigd zijn om problemen bij banken voor zich uit te schuiven. Soms gaat dat goed, maar vaak leidt dat uiteindelijk alleen maar tot meer problemen. Met een gezonde Europese financiële sector was de kans op besmetting afgenomen. Landen als Griekenland en Portugal hadden dan sneller kunnen overgaan tot herstructureren, in plaats van eindeloos uitstellen in de hoop dat banken door winstinhoudingen weer gezond kunnen worden. Banken moeten daarom sneller worden gedwongen om te herkapitaliseren en slechte banken moeten eerder geherstructureerd worden. Dat geeft banken een prikkel om meer eigen vermogen aan te houden in goede tijden, het vergroot de kans dat een probleembank herstelt in slechte tijden en het beperkt de maatschappelijke kosten als een faillissement onafwendbaar blijkt.

Daarvoor zijn twee dingen nodig. Ten eerste een bindend interventieraamwerk, gemodelleerd naar het Amerikaanse systeem van *prompt corrective action*. Een dergelijk interventieraamwerk verplicht de toezichthouder om op basis van vooraf vastgestelde indicatoren specifieke maatregelen te nemen. Op die manier is snel en effectief ingrijpen gewaarborgd. Banken die in de gevarenzone zijn beland, worden dan gedwongen zich te herkapitaliseren. Omdat herkapitalisatie altijd ten laste van de bestaande aandeelhouders gaat, staat een toezichthouder onder grote druk om die beslissing uit te stellen. Bij een goed interventieraamwerk passen ook jaarlijkse stresstesten die door een onafhankelijke entiteit worden uitgevoerd en waaraan de gehele financiële sector, inclusief kleine banken, onderworpen wordt. De testen winnen aan geloofwaardigheid als de resultaten van de testen en de bijbehorende gegegevens van de betreffende banken openbaar worden gemaakt. Om te voorkomen dat de testen in de loop der tijd aan scherpte verliezen, zou een onafhankelijke Europese instantie zoals de Europese Rekenkamer of het Europees bureau voor de statistiek de kwaliteit van de testen periodiek kunnen controleren. Controleerbaarheid van toezicht neemt toe als banken die profiteren van de door de overheid verstrekte depositogaranties, op detailniveau hun balansen openbaar maken. De Amerikaanse Federal Deposit Insurance Cooperation publiceert op kwartaalbasis de balansgegevens van de banken die onder haar toezicht staan. Die transparantie is een goed voorbeeld voor Europa.

Een tweede voorwaarde is dat een bank failliet moet kunnen gaan. Daarvoor is aparte (Europese) faillissementswetgeving voor banken nodig. Die wetgeving biedt toezichthouders de mogelijkheid om banken op een geordende manier failliet te laten gaan op het moment dat ze nog een positief eigen vermogen hebben. Vroegtijdige interventie dient twee doelen: ten eerste minimaliseert het de verliezen voor het depositogarantiestelsel en de belastingbetaler, ten tweede beperkt dit het systeemrisico. Op die manier kunnen de kosten voor de belastingbetaler worden beperkt. Het algemeen belang hoort zwaarder te wegen dan de particuliere belangen van individuele schuldeisers of aandeelhouders van banken. Daarom is het van belang om volgorde van senioriteit die van toepassing is bij de herstructurering van een bank, goed vast te leggen. Als eerste in de rij staat de uitvoerder van het depositogarantiestelsel. Vervolgens komen financiers die geld hebben geïnvesteerd in de herstructurering van de bank. Daarna komt de overheid, die alle steun die zij gegeven heeft, vergoed moet krijgen. Dan pas komen de bestaande schuldeisers aan de beurt. Helemaal als laatste in de rij staan de aandeelhouders van banken. Deze wetgeving zou op een uniforme wijze in Europa moeten worden ingevoerd. Dat vergemakkelijkt de coördinatie tussen toezichthouders van verschillende landen als dat nodig is. Bovendien moet een grote, grensoverschrijdende herstructurering van een bank in handen worden gelegd van een Europese instantie.

Les twee is dat de band tussen banken en landen losser moet worden. Het helpt daarbij om crisisinterventie op Europees niveau te regelen. Voor individuele landen zijn sommige banken immers *too-big-to-save*. Steun voor grote, grensoverschrijdende banken, of dat nu tijdelijk garanties, liquiditeit, of kapitaalinjecties zijn, moet daarom op Europees niveau worden vormgegeven. Andere mogelijkheden om die band te verzwakken, zijn het stellen van grenzen aan de blootstelling van banken aan de eigen overheid en het verder optrekken van het eigen vermogen van banken. En niet alleen crisisinterventie, maar ook toezicht op systeembanken moet op Europees niveau plaatsvinden. Problemen bij grote, grensoverschrijdende banken hebben immers uitstralingseffecten naar banken en economieën in andere landen, waardoor zwak toezicht in het ene land negatieve consequenties heeft voor financiële instellingen en economieën van andere landen. Nationale toezichthouders houden te weinig rekening met dergelijke uitstralingseffecten. Goed toezicht op grensoverschrijdende systeembanken vergt bovendien snelle informatie-uitwisseling tussen verschillende nationale toezichthouders. De crisis heeft laten zien hoe groot de belemmeringen hiervoor in de praktijk zijn. Alleen kleine, nationale banken kunnen gewoon door de nationale toezichthouder gereguleerd blijven.

Les drie is dat speculatieve luchtbellen door snel groeiende kredietverstrekking een bedreiging zijn voor de stabiliteit van een monetaire unie. De centrale-bankrente en de rente die marktpartijen vragen, is voor die landen vaak te laag, wat de groei aanwakkert en buitenlands kapitaal aantrekt. Daardoor neemt de kans op luchtbellen toe. Dit risico is des te groter omdat de gezondheid van banken en de gezondheid van landen sterk met elkaar verknoopt zijn. Als luchtbellen in vastgoedmarkten leeglopen, zoals in Spanje en Ierland, raken banken in de problemen. Private schuld wordt dan publieke schuld. Het toezicht moet er daarom op gericht zijn om dergelijke luchtbellen in een vroeg stadium op te sporen en onschadelijk te maken. Dat kan bijvoorbeeld door banken te dwingen hun blootstelling aan dergelijke risico's te verminderen. Dit kan alleen op Europees niveau en door een onafhankelijke toezichthouder gebeuren, omdat nationaal toezicht de kans loopt gevangen te worden door nationale belangen. Wie de Spaanse regering vijf jaar geleden had gemeld dat hun vastgoedmarkt tekenen van een luchtbel vertoonde en dat Europese banken daarom geen geld meer mochten investeren in Spaans vastgoed, had waarschijnlijk flinke ruzie gekregen met de toenmalige regering. Europees toezicht en Europese regels zijn in praktijk niet altijd de hemel op aarde, zoals we in het volgende hoofdstuk zullen zien als het gaat over het falen van het Stabiliteitspact. Juist in de financiële sector is Europees toezicht echter hard nodig.

Verder lezen

Michiel Bijlsma, Wouter Elsenburg en Gijsbert Zwart, 2011, 'Een bindend interventieraamwerk voor bancair toezicht', CPB Policy Brief 04, http://www.cpb.nl/publicatie/een-bindend-interventieraamwerk-voor-bancair-toezicht.
Waarom toezichthouders ingrijpen uitstellen en wat daaraan te doen.

Michiel Bijlsma en Gijsbert Zwart, 2010, 'Zijn strengere kapitaaleisen kostbaar?', CPB Document 215, http://www.cpb.nl/publicatie/zijn-strengere-kapitaaleisen-kostbaar.
Waarom banken niet uit zichzelf herkapitaliseren en wat overheden hieraan kunnen doen.

Jean Pisany-Ferry en André Sapir, 2010, 'Banking crisis management in the EU: an early assessment', *Economic Policy*, vol. 25(62), pp. 341-373, http://onlinelibrary.wiley.com/doi/10.1111/j.1468-0327.2010.00243.x/pdf.
Recepten voor het management van de bankencrisis in Europa.

Kenneth Rogoff en Carmen Reinhart, 2009, *This time is different: Eight Centuries of Financial Folly.*
Princeton en Oxford, Princeton University Press.
Een prachtig overzicht van bankencrises door de eeuwen heen.

Raghuram Rajan en Luigi Zingales, 2003, 'Banks and markets: the changing character of European finance', NBER Working Paper 9595, http://www.nber.org/papers/w9595.pdf.
De gevolgen van de euro voor de Europese financiële markten.

Voor meer achtergronden bij dit hoofdstuk en informatie over de onderwerpen, zie www.cpb.nl/publicatie/europa-in-crisis.

5
Schuld en boete

'The remarkable thing about the Maastricht entry conditions is that they have so little to do with economics... On balance the Maastricht convergence criteria are obstacles to a monetary union.'

PAUL DE GRAUWE, TOWARDS MONETARY EUROPEAN UNION WITHOUT THE EMS, 1993

- De EMU functioneert minder dan de muntunie in de VS omdat in de VS de begrotingen van de individuele deelstaten een stuk kleiner zijn en die van de federatie een stuk groter.
- Het Stabiliteitspact heeft niet gewerkt, Duitsland en Frankrijk hebben het om zeep geholpen.
- De no-bailout clausule was ongeloofwaardig.
- Begrotingsregels zijn nodig, maar moeilijk te handhaven en geen oplossing als de financiële markten niet beter worden gereguleerd.

Het Stabiliteitspact is dood. De regels en normen, indertijd door Nederland en Duitsland hard bevochten, zijn met voeten getreden. Meerdere eurolanden hebben hun overheidsfinanciën zodanig uit de bocht laten vliegen, dat ze niet of nauwelijks nog geld kunnen lenen op de kapitaalmarkt. Waarom zijn regels voor begrotingsbeleid van individuele landen eigenlijk belangrijk in een muntunie? En waarom hebben landen die regels willens en wetens kunnen breken?

Een goed startpunt is de theorie van de muntunie van de Canadese econoom Robert Mundell. In de jaren zestig van de vorige eeuw ontwikkelde hij de theorie van het optimale muntgebied ('*optimum currency area*'). In hoofdstuk 1 kwam de theorie al kort voorbij in het voorbeeld van de schoolklas. Wanneer een land samen met andere landen een 'gezamenlijk muntgebied' en dus een monetaire unie besluit te vormen, geeft het niet alleen zijn eigen munteenheid op, maar ook de mogelijkheid om met monetair beleid te reageren op economische schokken. Het is dan niet meer mogelijk om met een renteverlaging een recessie te lijf te gaan. Het samengaan in een monetaire unie is vergelijkbaar met het vrijwillig inleveren van wapens om zo de langetermijnstabiliteit te bevorderen. Eigenlijk is de theorie van Mundell heel eenvoudig: een groep landen levert de eigen wapens van wisselkoers en monetair beleid alleen in als de baten daarvan opwegen tegen de kosten. De baten bestaan uit lagere transactiekosten, de kosten uit een gebrek aan middelen om op landniveau economische schokken te lijf te gaan. In zijn eerste historische publicatie over muntunies komt het woord begroting niet voor – blijkbaar ziet Mundell geen rol voor begrotingsbeleid. Ook in latere bijdragen aan de theorie wordt geen aandacht besteed aan de rol van begrotingsbeleid van individuele lidstaten. We zullen echter zien dat de oprichters van de Economische Monetaire Unie (EMU) daar heel anders over dachten.

Na de Tweede Wereldoorlog probeerden de westerse landen hun valuta's tegen vaste koersen aan elkaar te koppelen. In de loop van de jaren zestig van de vorige eeuw werd dit steeds lastiger. Onder druk van economische schokken moest het ene na het andere land zijn munt devalueren. Als gevolg van deze periode raakte in de jaren zeventig de theorie van het optimale muntgebied uit de mode en werden flexibele wisselkoersen gepropageerd. Met flexibele wisselkoersen kon monetair beleid (rente omhoog of omlaag) optimaal worden ingezet om economische schokken op te vangen. Pas met het Delors-rapport maakte de theorie van Mundell een comeback – en hoe! Dat gold overigens ook voor Robert Mundell zelf: in 1999 kreeg hij de Nobelprijs voor de economie.

Optimaal of niet, de monetaire unie komt er toch

Het dadaëske 'ding-flof-bips' werd onlangs vervangen door het meer eigentijdse 'sms ff bondige clips', als ezelsbruggetje voor de met de toetreding van Estland alweer zeventien deelnemers tellende EMU. De EMU groeit. Optimaal of niet, blijkbaar is deze muntunie iets waar landen bij willen horen. Was van tevoren te verwachten dat de eurolanden samen een optimaal muntgebied zouden zijn? Of op z'n minst dan toch een redelijk goed muntgebied? Een grotere arbeidsmarktmobiliteit, een open en gediversifieerde economie en de mogelijkheid om met federale begrotingssteun schokken in individuele landen op te vangen, deze elementen dragen allemaal bij aan een goed werkende muntunie. Dat zijn de relatief harde, meetbare economische criteria. Maar het succes van een muntunie wordt ook door andere factoren bepaald. Het maakt bijvoorbeeld ook uit in hoeverre landen hetzelfde denken over macro-economisch beleid. Wordt in de verschillende lidstaten gekeken door hetzelfde denkraam? Dat is relevant, omdat de Europese Centrale Bank (ECB) voor alle landen het monetaire beleid bepaalt. *One size fits all* – ook als die niet iedereen op elk moment past. Hoe landen over beleid denken is in de huidige situatie moeilijk te zeggen, want alle eurolanden hebben zich immers gecommitteerd aan de institutionele setting en regels van de EMU. We weten wel hoe het vóór de EMU was. De noordelijke lidstaten hadden toen een voorkeur voor lage inflatie en (tot op zekere hoogte) begrotingsdiscipline. In de zuidelijke landen was hoge inflatie, met af en toe een devaluatie, veel meer geaccepteerd. De meeste economen zijn het erover eens dat de eerste strategie (lage, stabiele inflatie) de beste is. Hoe dan ook is het niet mogelijk om binnen een monetaire unie beide strategieën tegelijk na te streven. Hierover moeten de deelnemende landen het dus eens zijn of worden. Tijdens de huidige crisis wordt helaas pijnlijk duidelijk dat het ontbreken van een gedeelde visie op het te voeren macro-economisch beleid een snelle en effectieve Europese aanpak in de weg staat.

De VS worden vaak beschouwd als een optimale muntunie. Toch is het zeker niet zo dat in de VS alle neuzen wel dezelfde kant op staan. Over zowel budgettaire als monetaire stimulering is veel discussie, grotendeels langs de partijlijnen. Kort door de bocht: Democraten willen stimuleren, Republikeinen niet. Sommige leden van de rechtse *Tea Party*-beweging pleiten zelfs voor een terugkeer naar de Gouden Standaard en willen daarmee *de facto* af van al het monetaire beleid – volgens bijna alle economen een erg slecht idee. Ook in Amerika zijn er regionale verschillen: inwoners van de kuststreken zijn over het algemeen meer geneigd tot activistisch macro-economisch beleid dan inwoners van het binnenland.

Een verwante vraag is in hoeverre de solidariteit van de inwoners van het muntgebied zich uitstrekt tot inwoners van álle lidstaten. In een muntunie is het door het eenduidige monetaire beleid 'samen uit, samen thuis'. Dan helpt het ook als dat als zodanig wordt ervaren. Het kan zijn dat op enig moment de rente in het eurogebied voor Duitsland eigenlijk te hoog is en daar de groei onnodig remt, maar voor Italië eigenlijk te laag is (of omgekeerd). Het is goed voor de stabiliteit binnen de muntunie als dit niet onmiddellijk tot interne politieke spanningen of nationalistische tendensen leidt. Men moet immers bereid zijn te accepteren dat het erom gaat welke rente goed is voor de monetaire unie als geheel. Over het algemeen voelen Amerikanen zich (veel) meer Amerikaan, dan Europeanen zich Europeaan voelen. Dan gaat het om zaken als een gedeelde taal, een gezamenlijk team op de Olympische Spelen, een gezamenlijk gekozen regering, et cetera. Europese hoogtepunten, zoals het EK-voetbal of het Eurovisiesongfestival, benadrukken toch eerder de nationale, dan de Europese identiteit. Wanneer we iemand een 'echte Europeaan' noemen – zoals voormalig premier van België Guy Verhofstadt – is dat omdat dat een uitzondering is.

In hoofdstuk 1 bleek dat de redenen voor het van start gaan met een grotere EMU, inclusief Italië, Spanje, Portugal en in 2001 zelfs Griekenland, wellicht hoofdzakelijk politiek waren. Maar er waren ook economen die dachten dat landen vanzelf meer met elkaar in de pas zouden gaan lopen wanneer ze eenmaal waren toegetreden tot de EMU. Het ging er volgens deze economen niet om of de verschillende landen voorafgaand aan de monetaire unie een optimaal muntgebied lijken, maar of ze ná vorming van een muntunie een optimaal muntgebied kunnen zijn. Het is immers ook niet bijster relevant of de verschillende Amerikaanse staten vóór 1787 een optimaal muntgebied vormden. De eurolanden konden een goede muntunie worden door het overnemen van goede en gelijke regels, wetten en instellingen. Het verschil in inflatie in de jaren tachtig (zie de figuur hierna) was in elk geval ten dele het gevolg van andere ideeën over monetair beleid. In sommige landen was de centrale bank zeer onafhankelijk, zoals in Duitsland, maar in andere landen had het ministerie van Financiën veel invloed op het beleid. Door de monetaire unie verdwenen dit soort institutionele verschillen, bijvoorbeeld omdat alle landen te maken kregen met een onafhankelijke ECB, waardoor de oorspronkelijke verschillen in inflatie ook uit de wereld zouden zijn, zo was het idee.

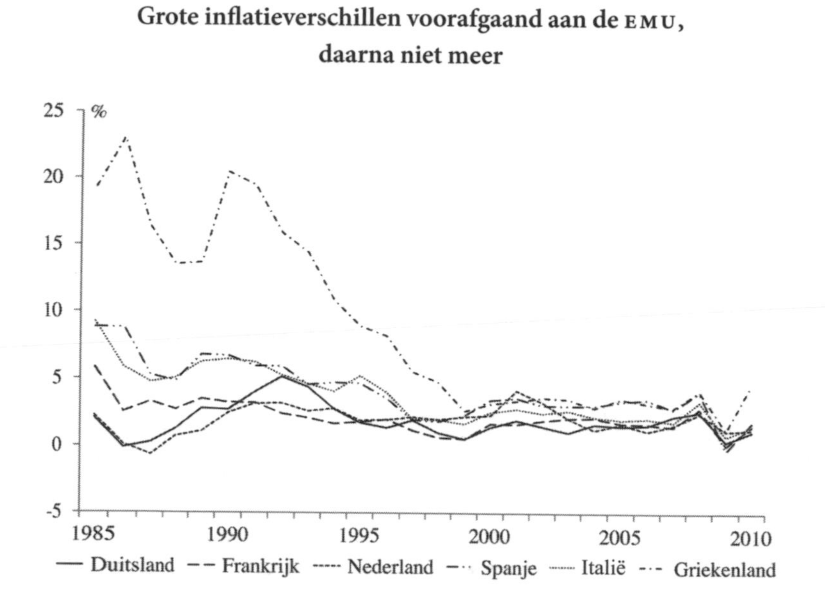

Grote inflatieverschillen voorafgaand aan de EMU, daarna niet meer

Voor de opstellers van het Verdrag van Maastricht uit 1992 was de hoop dat landen automatisch naar elkaar toe zouden groeien echter onvoldoende. Daarom werd besloten de eenwording een handje te helpen met toelatingscriteria. Later, in 1997 bij het Verdrag van Amsterdam, werd dit aangevuld met een Stabiliteitspact voor landen die al in de EMU zitten. De toelatingscriteria schreven voor dat landen met hun rente en inflatie niet veel hoger mochten zitten dan de best presterende landen en dat de wisselkoers niet te veel mocht schommelen. Daarnaast waren er regels voor begrotingsbeleid: de bekende drie-procentnorm voor het begrotingstekort en een maximum van zestig procent voor de staatsschuld. Deze regels voor begrotingsbeleid zouden later de basis vormen voor het Stabiliteitspact.

Of de toelatingscriteria daadwerkelijk bedoeld waren om te zorgen dat de perifere eurolanden meer in de pas zouden gaan lopen met de 'kernlanden', of dat ze juist bedoeld waren om te zorgen dat de unie alleen uit gelijke landen zou bestaan (en om de perifere eurolanden dus buiten de deur te houden), daarover verschillen de meningen. Onder andere de Belgische econoom Paul de Grauwe zag weinig tot geen economische onderbouwing voor de toelatingscriteria. Andere economen merkten op dat het gelijktijdig opleggen van criteria voor staatsschuld, begrotingstekort, rente en inflatie échte convergentie juist moeilijk maakt. Het is gemakkelijker de staatsschuld terug te brengen bij een iets hogere inflatie, het is gemakkelijker de inflatie terug te brengen bij een iets hogere rente.

Misschien hadden de toelatingscriteria weinig economische onderbouwing, in de praktijk hebben ze wel bijgedragen aan convergentie. Uiteindelijk mochten alle EU-lidstaten die dat wilden, meedoen met de EMU. Tot het chagrijn van onder andere de Nederlandse minister van Financiën Gerrit Zalm gold dat ook voor Italië. Zalm was bezorgd dat de toelating van landen met een zwakkere reputatie op het gebied van monetair en begrotingsbeleid de stabiliteit van de muntunie in gevaar zou brengen. In zijn memoires geeft hij aan dat Nederland zelfs enige tijd heeft gedreigd niet mee te doen aan de EMU als Italië zou worden toegelaten, maar uiteindelijk stond hij bijna alleen. Op Duitse steun hoefde Zalm bij zijn verzet uiteindelijk niet te rekenen – Duitsland had op het moment van besluitvorming een oplopende staatsschuld van (iets) meer dan zestig procent en voldeed zelf niet eens aan de toelatingseisen. Mede daarom gooide Duitsland het op een akkoordje met de Fransen.

Bij de toetreding van Griekenland in 2001 maakte ook Zalm geen bezwaar meer. Binnen Nederland verzetten de oppositiepartijen CDA, SP en SGP zich nog, zonder enig succes. Ook Duitsland stemde in met de Griekse toetreding. De christendemocratische bondskanselier Merkel zou later, tijdens een speech in november 2010, haar socialistische voorganger Gerhard Schröder én de Grieken openlijk een veeg uit de pan geven: Schröder had alle waarschuwingen in de wind geslagen, Griekenland moest om politieke redenen bij de EMU. En nu mochten we de brokken oprapen.

De begroting moet op orde

Zowel in de toelatingscriteria, zoals in 1992 opgesteld bij het Verdrag van Maastricht, als bij het latere Stabiliteitspact, lag het zwaartepunt bij begrotingsbeleid, met normen voor staatsschuld en begrotingstekort. Dat er toch een rol is voor begrotingsbeleid, daar zijn de meeste economische wetenschappers het ondertussen wel over eens. Daarvoor zijn verschillende argumenten. Het eerste en belangrijkste argument is dat in de EMU het ene land last heeft van de tekorten van het andere land. Voor Zalm was dit argument de belangrijkste reden om tegen het lidmaatschap van Italië te zijn. Vóór de monetaire unie werd een land direct zelf 'gestraft' voor hogere begrotingstekorten of staatsschulden, omdat de markten een hogere rente eisten. Bij een gezamenlijk monetair beleid is die straf minder hoog, omdat de ECB de hoogte van de rente bepaalt op basis van de ontwikkelingen in het gehele muntgebied, niet alleen het land met het hoge tekort. Gevolg is dat landen meer dan voorheen geneigd kunnen zijn om te veel geld uit te geven. Uiteindelijk kan dit leiden tot hogere rentes voor het eurogebied als geheel – zo hebben andere landen last van begrotingstekorten in het ene land. Op papier lijkt dit een sterk argument voor Europese regels voor nationale begrotingen. In de praktijk blijkt het effect van hoge tekorten in het ene land op rentes voor de gehele unie vooralsnog moeilijk aantoonbaar en in elk geval niet eenduidig: de Nederlandse en Duitse rentes zijn sinds het uitbreken van de schuldencrisis juist zeer laag.

Volgens de economische literatuur hebben politici de neiging vooral te kijken naar hun eigen zittingstermijn. Ze krijgen immers wel de waardering voor actuele uitgaven of belastingverlagingen, maar het zijn vooral toekomstige regeringen die worden geconfronteerd met de gevolgen: een hogere schuld. In dat geval is het handig om politici, net als Odysseus, aan de mast te binden, om zo de verleidingen van kortetermijnuitgaven te weerstaan. Odysseus moest tijdens zijn tochten veel gevaren trotseren. Zo waren er de 'Sirenen', knappe halfgodinnen die met hun prachtige gezangen de reizigers die hun eiland passeerden zo in vervoering brachten dat zij de verleiding om aan land te gaan niet konden weerstaan. Daardoor sloegen zij onvermijdelijk tegen de rotsen te pletter. Dat zou je kunnen vergelijken met een minister van Financiën die zwicht voor kortetermijnuitgaven en zo de overheidsfinanciën op langere termijn laat ontsporen. Odysseus wist de verlokkingen te weerstaan door zich aan de mast van zijn schip vast te laten binden – zo hield hij koers. In Nederland werkt de in 1994 ingevoerde Zalmnorm op dezelfde manier: er worden aan het begin van de kabinetsperiode harde afspraken gemaakt over de maximale uitgaven, zodat politici tijdens de rit niet in de verleiding kunnen komen om extra uitgaven te vragen.

Voor veel Europese politici leek de Europese mast een aantrekkelijk en stevig houvast. Nationale politici leggen zich dan vast aan 'Europese regels', omdat het dan voor hen gemakkelijker is hun rug recht te houden bij binnenlandse verzoeken om extra uitgaven of lagere lasten. Dit tweede argument heeft eigenlijk niets te maken met de monetaire unie, maar heeft wel een rol gespeeld bij de roep om Europese begrotingsnormen. Een recent voorbeeld is de Italiaanse premier Silvio Berlusconi die de EU vroeg om lidstaten te dwingen de pensioenleeftijd te verhogen, omdat individuele regeringen dat volgens hem niet zouden aandurven.

Een derde argument is dat landen met een hoge staatsschuld liever hogere inflatie zien en politieke druk gaan uitoefenen op de ECB. Om zulke politieke druk te voorkomen, moeten de hoge staatsschulden worden voorkomen. Het argument is alleen geldig als wordt aangenomen dat de ECB gevoelig zou kunnen zijn voor zulke druk, toch was het argument voor de opstellers van het Delors-rapport – hoofdzakelijk centrale bankiers – een belangrijk punt.

Het laatste en beste argument voor Europese regels voor nationale begrotingen is actueel: wanneer één van lidstaten, Griekenland bijvoorbeeld, in de problemen komt, heeft dit gevolgen voor de financiële sector in heel Europa. Zo ontstaat ook het risico dat landen kunnen gaan hopen of anticiperen op financiële steun van andere lidstaten, met mogelijk kosten voor de belastingbetalers van 'brave' landen. Zeer actueel, maar ook een risico waar de economen Charles Wyplosz en – alweer – Barry Eichengreen in 1998, dus een jaar voor de start van de EMU, voor waarschuwden. Volgens hen was dit zelfs het meest overtuigende argument voor regels voor nationaal begrotingsbeleid. Ze concludeerden echter ook dat dit misschien nog meer een argument is voor goed Europees bankentoezicht dan voor begrotingsregels. Ten tijde van het opstellen van het Verdrag van Maastricht kreeg dit argument echter nauwelijks aandacht. Er werd veel meer gekeken naar de oorspronkelijke criteria voor het optimale muntgebied, dan naar financiële stromen. Ten onrechte blijkt nu. Juist de oorspronkelijke criteria – kan een land schokken opvangen – zijn vooralsnog niet erg belangrijk gebleken. De financiële sector des te meer. In het vorige hoofdstuk zagen we immers waar de financiële verwevenheid in het eurogebied in combinatie met grote kapitaalstromen toe kan leiden.

De zorg dat landen met zwakke begrotingsdiscipline de monetaire unie in gevaar zouden brengen, leefde met name in Duitsland en Nederland. Duitsland gaf immers zijn harde mark en de ijzersterke reputatie van de Bundesbank op voor een onzeker Europees project, samen met landen die een veel hogere inflatie hadden en een minder sterke reputatie op het terrein van begrotingsbeleid. Weliswaar bevatte het Verdrag van Maastricht al een zogenaamde *no-bailout* clausule, die stelde dat landen ook binnen de monetaire unie hun eigen budgettaire boontjes moesten doppen en niet konden rekenen op begrotingssteun van andere landen of de ECB. Maar helemaal gerust waren de Duitsers er niet op. Het zou beter zijn als kon worden verzekerd dat landen sowieso niet in de positie zouden komen dat ze hulp van andere landen nodig zouden kunnen hebben. Daarom werd vooral vanuit Duitsland aangedrongen op harde regels voor begrotingsbeleid in de monetaire unie – op een 'stabiliteitspact'. Binnenlandse overwegingen speelden overigens ook een rol. Er was binnen de regerende christendemocratische CDU grote twijfel of toekomstige, mogelijk sociaaldemocratische, regeringen wel even gecommitteerd zouden zijn aan lage inflatie en een sterke euro. Het Duitse ministerie van Financiën probeerde de publieke opinie mee te krijgen via voorlichtingsmateriaal, zoals *Der Euro, stark wie die Mark.*

De Duitse voorliefde voor stabiliteit – en voor regels – werd in 1995 met overtuiging naar voren gebracht door de Duitse minister van Financiën Theo Waigel. Hij had deze regels samen met zijn assistent Jürgen Stark uitgewerkt. Stark zou later bestuurslid van de ECB worden. Inmiddels is hij om 'persoonlijke' redenen opgestapt als bestuurslid van de ECB, persoonlijke redenen die vermoedelijk nauw samenhangen met de motieven voor het vertrek van zijn collega Axel Weber als bestuurslid bij de ECB. We komen hier in hoofdstuk 7 op terug. Na lange onderhandelingen werden de ideeën van Stark en Waigel bekrachtigd tijdens de Eurotop in Amsterdam. Conform de wens van Waigel bestond het akkoord uit de volgende onderdelen: landen moesten een structureel begrotingsevenwicht nastreven en mochten geen tekort hoger dan drie procent en geen schuld hoger dan zestig procent van het nationaal inkomen hebben.

Bovendien werden de uitzonderingsclausules gedetailleerd omschreven, net als de stappen en maatregelen bij overtreding. Dit heet de 'buitensporigtekortprocedure'. Deze procedure voorziet uiteindelijk in substantiële financiële boetes voor landen die zich niet aan de afspraken houden.

Voorkomen is beter dan genezen, dus naast sancties werden er ook preventieve maatregelen in opgenomen, die eruit bestonden dat landen meer in het algemeen (dwingend) advies kregen over het te voeren beleid. Op drie punten werd afgeweken van de oorspronkelijke Duitse plannen. Op dringend verzoek van de Fransen werd het Stabiliteitspact omgedoopt in een Stabiliteits- *en Groei*pact. De Fransen kampten op dat moment met een hoge werkloosheid, waardoor het streven naar louter 'stabiliteit' geen stemmentrekker was. Een andere aanpassing betrof de uitzonderingsclausule. Wilde Waigel harde en ondubbelzinnige regels, op aandringen van andere landen werden de gronden voor een uitzondering ruimer en vager. De belangrijkste aanpassing was echter dat de sancties niet meer automatisch werden opgelegd, maar pas na goedkeuring van de Raad van Ministers. Vooral deze laatste aanpassing bleek later een grote zwakte en eigenlijk had Waigel dus een pyrrusoverwinning behaald.

Eerst leek er geen vuiltje aan de lucht...

In het begin was het proces van monetaire unie – in elk geval op het oog – een succes. Tijdens de jaren negentig slaagden landen die tot die tijd hadden geworsteld met hoge inflatie en financiële instabiliteit, er in om hun begrotingstekort, schuld en inflatie omlaag te brengen. Toen de euro er eenmaal was, zorgde die voor verdere financiële integratie en daarmee voor een verbreding van de interne markt, zoals bleek in de hoofdstukken over de baten van de interne markt en van de euro. Juist Nederland profiteerde hier sterk van. Daarnaast zorgde de monetaire unie ervoor dat rentes voor landen in de periferie sterk daalden tot bijna het Duitse niveau. Dit werd indertijd gezien als een groot succes, de overheden in landen als Griekenland en Italië waren immers goedkoper uit. Voor het begrotingsbeleid was er een 'driedubbel slot': de harde maxima voor begrotingstekort en schuld, de boetes bij overtreding, en de no-bailout clausule, zodat landen ook niet zouden rekenen op steun van andere lidstaten. Dat zat dus wel snor, was de gedachte.

Maar helaas. Juist wat het begrotingsbeleid en het Stabiliteitspact betreft, stelden de resultaten teleur. De eerste teleurstelling – eind jaren negentig – was dat sommige landen, nadat ze erg hun best hadden gedaan om voor toetreding tot de EMU aan de toelatingscriteria te voldoen, na de start van de monetaire unie al snel de teugels lieten vieren. Begrotingstekorten in Italië, Portugal en Griekenland liepen bijvoorbeeld al snel weer op. Sommige landen hadden met kunst- en vliegwerk de schuld en het saldo cosmetisch verbeterd, bijvoorbeeld met tijdelijke belastingen die onder voorwaarden later werden kwijtgescholden. Deze maatregelen verlaagden wel gedurende enige tijd het begrotingstekort. Een andere geliefde oplossing was de verkoop van goud, of een superdividend van overheidsbedrijven. Dit waren allemaal tijdelijke maatregelen die eenmalig het begrotingstekort verbeterden – en dan waren dit nog de trucs die wél waren toegestaan. Ondanks het feit dat verschillende landen na de start van de EMU moeite hadden om te voldoen aan de criteria van het Stabiliteitspact, was van een crisis echter geen sprake en bleven de rentes op staatsschuld laag. In eerste instantie leek het dus helemaal niet erg dat sommige landen hun begroting niet op orde hadden. De EMU werd nog steeds als een onverdeeld succes gezien toen begin 2002 de eurobiljetten en munten in circulatie kwamen.

Een volgende teleurstelling kwam toen in 2002 Portugal de regels van het Stabiliteitspact overtrad, met een tekort van meer dan drie procent van het nationaal inkomen. Aangezien het te hoge tekort niet snel werd gecorrigeerd, hadden eigenlijk sancties moeten volgen. In plaats van het opleggen van sancties werd genoegen genomen met een Portugese belofte van beterschap. Dat de toenmalige voorzitter van de Europese Commissie, Romano Prodi, in een kranteninterview het Pact expliciet 'stom' noemde, terwijl in dezelfde week de eurocommissaris voor handel het woord 'middeleeuws' gebruikte voor de regels uit het Pact, was niet hoopgevend. Had het Pact wel tanden?

Met de opgelopen Duitse en Franse begrotingstekorten ging er vervolgens nog veel meer mis. Eind 2003 bleken ook deze landen een begrotingstekort van meer dan drie procent te hebben en bovendien onvoldoende uitzicht op snelle verbetering. Beide landen wisten de Ecofin, de Raad van Ministers van Financiën, er echter van te overtuigen om de in het Stabiliteitspact afgesproken sancties niet door te zetten. Dit was tegen de regels van het Pact, tegen de aanbevelingen van de Europese Commissie en de ECB in en zeer tegen de zin van onder andere Zalm. Als grote landen zich niet gebonden voelen aan de afspraken uit het Pact en daar ook niet aan worden gehouden, is het Pact tandeloos en daarmee feitelijk dood. De Commissie stapte, gesteund door onder andere Zalm, zelfs naar het Europese Hof. Daar kregen de voorstanders van de harde lijn gelijk: conform het Pact had de Ecofin voor Frankrijk en Duitsland de buitensporigtekortprocedure moeten doorzetten. Gelijk krijgen is echter niet genoeg, want nog steeds had de Commissie geen instrument om dat gelijk af te dwingen – *de facto* bleef het Pact dood. Gezien de ontstaansgeschiedenis is het wrang dat juist Duitsland ervoor heeft gezorgd dat het oorspronkelijke Pact ten grave werd gedragen.

Ter verdediging van Duitsland kan worden aangevoerd dat de begroting van het land te kampen had met de naweeën van de hereniging in 1989 en vervolgens nog werd getroffen door de wereldwijde groeivertraging als gevolg van het leeglopen van de ICT-luchtbel. Ook Nederland moest in maart 2004 een buitensporig tekort (voor 2003) melden, mede als gevolg van onverwacht grote tekorten bij lokale overheden. Met onder andere deze ervaringen in het achterhoofd werd bij het in 2005 voorgestelde 'nieuwe' Stabiliteitspact meer rekening gehouden met de specifieke omstandigheden en vooruitzichten van individuele landen. Voorstanders van het nieuwe Pact stelden dat er meer nadruk werd gelegd op wat landen met begrotingsbeleid moeten doen in economisch 'goede tijden' en op de onderliggende, structurele situatie van de overheidsfinanciën. Bekeken door een economenbril was het op papier daarom zelfs een beter Pact. Door de nadruk op maatwerk namen echter ook het aantal ontsnappingsroutes toe en de kans op sancties af. Een erg lang leven was dit 'nieuwe' Pact ook niet beschoren. In 2011 werd het Pact opnieuw aangepast – daar komen we straks op terug.

Het was 2005 en twee van de drie sloten van het driedubbele slot waren dus al kapot: landen bleken niet in staat zich aan de normen voor begrotingsbeleid te houden, maar sancties volgden niet. Van een crisis was toen nog geen sprake. Ondanks de soms hoge tekorten (Italië had in 2006 een tekort van 3,4 procent, Portugal van 4,1 procent en Griekenland zelfs van 5,7 procent), liepen de rentes van die landen nauwelijks op. Genoemde landen betaalden een zeer beperkte renteopslag ten opzichte van de Duitse rente – minder dan Nederland nu.

Gelukkig is er altijd nog het derde slot op de deur: de no-bail-out clausule, die voorschrijft dat landen niet kunnen rekenen op enige begrotingssteun van andere landen of van de ECB. Als dit slot geloofwaardig is, houden landen dus net als vóór de

EMU een sterke prikkel om hun eigen overheidsfinanciën op orde te brengen of te houden: als ze de billen branden, moeten ze zelf op de blaren zitten. Beleggers weten dat ze niet kunnen rekenen op steun uit andere landen en moeten daarom rekening houden met de risico's van geld lenen aan specifieke landen. Op deze manier blijft de disciplinerende werking van de markt bestaan, ook in de EMU. Dit was althans wat de opstellers van het Verdrag van Maastricht hoopten. Het heeft niet zo mogen zijn. Het viel met de start van de EMU in 1999 al meteen op dat de rentes die landen zoals Italië en Griekenland moesten betalen op hun staatsschuld, snel daalden naar ongeveer Duitse niveaus, zoals in het vorige hoofdstuk al aan de orde kwam. Dat de rentes daalden, viel te verwachten. Een vordering op Italië was nu in euro's in plaats van in lires en de euro was een harde munt. In het verleden had een land als Italië juist veelvuldig gebruik gemaakt van de mogelijkheid om de eigen munt in waarde te laten dalen. In de lire-tijd hielden beleggers rekening met dat risico en daarom vroegen ze een hogere rente – met de euro was dat niet meer nodig. Enige mate van convergentie van de rentes van de eurolanden was zelfs een vereiste voor toetreding tot de EMU. Maar dat markten nauwelijks nog onderscheid maakten tussen leningen aan Griekenland en aan Duitsland, was onverwacht. En zorgwekkend. Zorgwekkend omdat een mogelijke verklaring kan zijn dat markten geen onderscheid meer maakten omdat 'Europa' de zwakke broeders toch wel de hand boven het hoofd zou houden – en de no-bailout clausule dus niet als geloofwaardig beschouwden.

Hier komt weer een interessant verschil tussen de VS en Europa aan het licht. Bij Amerikaanse staten, waar de omvang van de schuld veel kleiner is, is de disciplinerende werking van de markt namelijk wél zichtbaar. Uit onderzoek van de economen Tamim Bayoumi, Morris Goldstein en Geoffrey Woglom blijkt dat Amerikaanse staten snel een hogere rente moeten betalen als de schuld oploopt – zo snel zelfs dat het opnemen van extra schuld al snel onaantrekkelijk wordt. Bij Amerikaanse staten ligt dat omslagpunt al bij een schuld van minder dan negen procent van het 'nationaal' inkomen van de staat. Dit kan overigens niet direct worden vergeleken met schuldniveaus van Europese landen, aangezien de Amerikaanse staten een veel kleinere belastingbasis hebben waartegen ze geld kunnen lenen. De reactie van de rente op het schuldniveau van de staten in de VS laat zien dat de no-bailout clausule daar wél geloofwaardig is.

Of de markten na de start van de EMU daadwerkelijk niet geloofden in de Europese no-bailout clausule, is moeilijk te zeggen. Voor zover bekend is het de handelaren indertijd niet gevraagd. Wat we wel kunnen zeggen is dat de no-bailout clausule niet overeind is gebleven. Griekenland, Ierland, Portugal, maar ook Italië en Spanje zijn uiteindelijk linksom of rechtsom geholpen door 'Europa'. En beleggers die daarop hebben geanticipeerd, hebben vooralsnog gelijk gekregen in die zin dat met die hulp alle landen alle uitstaande schuld en rente netjes op tijd hebben afbetaald. Het derde slot op de deur, de no-bailout clausule, is daarmee ook ondeugdelijk gebleken. Geen van de drie mechanismen die ervoor moesten zorgen dat landen gezonde overheidsfinanciën zouden nastreven, bleek effectief.

Begrotingsbeleid is niet het hele verhaal

Met de huidige onrust in het achterhoofd, is het goed om nog eens stil te staan bij de vraag waarom het Stabiliteitspact niet heeft gewerkt. Alhoewel de theorie van het optimale muntgebied niets zei over het begrotingsbeleid van individuele lidstaten, is het nu wel duidelijk dat het begrotingsbeleid er wel enigszins toe doet. Die landen die voorafgaand aan de Grote Recessie van 2009 onvoldoende hadden gedaan om hun overheidsfinanciën op orde te brengen, kwamen door de kredietcrisis snel in de problemen. Dit gold uiteraard voor Griekenland, maar ook voor Portugal en Italië. Uit de hand gelopen overheidsfinanciën zijn binnen het eurogebied een recept voor ongeluk, omdat het landen kwetsbaar maakt voor plotseling verlies van het vertrouwen van de markt.

Ook Spanje en Ierland zagen hun overheidsfinanciën verslechteren en de rentes snel oplopen, maar niet omdat ze voorafgaand aan de kredietcrisis slecht begrotingsbeleid voerden: beide landen hadden vlak voor het uitbreken van de kredietcrisis in 2007 hogere overschotten op de begroting en lagere schulden dan Nederland. Spanje en Ierland hadden tot 2008 zelfs nooit de schuld- en tekortnormen van het Stabiliteitspact geschonden, toch kwamen ook zij door de kredietcrisis in grote budgettaire problemen. Het sentiment op de financiële markten kan plotseling omslaan. Dat gebeurde ook bij deze landen. Toen zagen deze landen de rente op hun schuld snel oplopen. De hoog oplopende rentes maakten bij al deze landen nieuwe niet-voorziene steunmaatregelen noodzakelijk. De hogere rentes zorgden voor een verdere verslechtering van het tekort en zo ontstond een vicieuze cirkel. Omdat begrotingsbeleid van afzonderlijke lidstaten er blijkbaar toe doet in de EMU, is het logisch na te denken over regels voor dat begrotingsbeleid. Het Stabiliteitspact was dus op zich geen slecht idee. Strikte handhaving zou de problemen van in elk geval Ierland en Spanje niet hebben voorkomen, maar als er minder begrotingsproblemen zijn, is er ook minder besmetting via de financiële markten.

Het Stabiliteitspact zoals we dat hadden, werkte echter niet of nauwelijks. Of bovengenoemde landen zonder grote recessie ook in de problemen waren gekomen, we weten het niet zeker. Of Griekenland, Portugal en Italië de huidige problemen hadden kunnen vermijden als ze zich netjes aan de regels hadden gehouden, weten we ook niet zeker. Wel is vast komen te staan dat het Stabiliteitspact in zijn oorspronkelijke vorm landen er niet van heeft weerhouden tekorten van meer dan drie procent te laten bestaan – en schulden van meer dan 60 procent. Daarvoor zijn meerdere redenen. Ten eerste waren de normen nauwelijks economisch onderbouwd en daardoor erg willekeurig – 'stom' zoals Prodi zei. De wereld vergaat niet als een land even de drie-procent-tekortnorm overschrijdt. Dan is in elk afzonderlijk land de politieke druk sterk om de Europese regels maar even te negeren, als dat op dat moment toevallig in het nationale belang lijkt. Met dat idee was natuurlijk de buitensporigtekortprocedure bedacht. Maar ook die werkte niet. Nu is het idee van financiële sancties voor een land dat zijn overheidsfinanciën toch al niet op orde krijgt, sowieso al wat moeizaam. Zouden Europese leiders daadwerkelijk willens en wetens een extra zetje durven geven aan een land dat toch al in de problemen zit? In de praktijk is het daar nooit van gekomen, omdat de beslissing tot het opleggen van sancties een politieke was. En politici houden elkaar de hand boven het hoofd, zo is gebleken toen Duitsland en Frankrijk niet werden gestraft voor hun overtreding van het Stabiliteitspact. Grote landen vinden Europa heel belangrijk, maar de binnenlandse politiek toch net wat belangrijker. Kleine eurolanden hebben last van wat Gerrit Zalm het 'kleinelandensyndroom' noemt. Kleine landen zullen Frankrijk en Duitsland steunen, tenzij hun directe eigenbelang in het geding is. Bij een te groot tekort van Duitsland is dat niet het geval. Zonder volledig automatische sancties, of sancties die worden opgelegd door een écht onafhankelijke autoriteit, is het zinloos überhaupt over sancties te spreken.

Alhoewel de eerste les is dat begrotingsbeleid ertoe doet, is de tweede les dat een te sterke focus op begrotingsbeleid de aandacht kan afleiden van zaken die er nóg meer toe doen. Alle eurolanden die nu in de problemen zitten hebben te kampen met slechte en/of sterk verslechterde overheidsfinanciën. Maar daarop hebben ze helaas niet het alleenrecht. Hetzelfde geldt binnen het eurogebied, bijvoorbeeld voor België en in mindere mate Nederland, en buiten het eurogebied nog veel sterker voor de VS en het VK. Toch komen die landen (vooralsnog) helemaal niet in de problemen. Het grote verschil zit waarschijnlijk in de beoordeling van de onderliggende economische conditie van genoemde landen. Griekenland, Italië, Portugal en – in mindere mate – Spanje hebben bijvoorbeeld al langere tijd te maken met een verslechterende concurrentiepositie als gevolg van lonen die harder stegen dan gerechtvaardigd was op basis van de geleverde productie. Doordat deze landen steeds slechter kunnen concurreren op de wereldmarkt, is er weinig vertrouwen in de verdiencapaciteit in de nabije toekomst. De oorzaak van de verslechterende concurrentiepositie is het overvloedige kapitaal en de lage rentes waarmee de landen na de start van de EMU werden geconfronteerd, zie de eerdere discussie in de hoofdstukken 1 en 4, en de speculatieve luchtbellen in bijvoorbeeld Spanje en Ierland die daarvan het gevolg waren. Toen de overvloedige kredietverlening tijdens de Grote Recessie plots tot stilstand kwam, werd opeens duidelijk dat deze landen boven hun stand hadden geleefd.

De tweede les is dat we er niet zijn met criteria voor begrotingsbeleid. Binnen een EMU kunnen onderliggende onevenwichtigheden lange tijd worden gemaskeerd door gemakkelijk verkrijgbaar krediet. Het is zaak hier doorheen te prikken. Regeringsleiders, maar ook de ECB, houden vooral het 'schuld en boete verhaal': het is de schuld van de perifere eurolanden zelf dat ze in problemen zijn gekomen. Ze hadden hun overheidsfinanciën beter op orde moeten houden. Nu zitten ze in de problemen en zullen ze moeten boeten door middel van bezuinigingen en ingrijpende hervormingen. Het is een begrijpelijk betoog, maar te simpel en onvolledig. Bovendien blijft het onderliggende probleem van de EMU buiten beeld. De overvloedige kapitaalstromen richting de perifere eurolanden zijn net zo goed de verantwoordelijkheid van de sterke eurolanden. Ze vragen vooral om een beter toezicht op de financiële sector, niet eens zozeer van een beter begrotingstoezicht.

Een derde les is dat we eigenlijk niet goed begrijpen hoe de markt voor overheidsschuld werkt. Dit wordt verder uitgewerkt in het volgende hoofdstuk. Voor nu is het belangrijk te constateren dat het risicovol is om volledig te vertrouwen op de werking van de kapitaalmarkt en dat daarom een strikte no-bailout clausule ook in de toekomst niet geloofwaardig zal zijn.

Het sixpack van Van Rompuy

Op de lange termijn moet een oplossing worden gevonden voor de onderliggende problemen van speculatieve luchtbellen en te hard gestegen lonen, waardoor landen steeds minder concurrerend worden. Binnen een monetaire unie vallen deze problemen minder op, waardoor ze langer kunnen opbouwen. Ook de slechte conditie van de overheidsfinanciën moet worden aangepakt. Dat is een tweesnijdend zwaard: gezondere overheidsfinanciën maken een land direct minder kwetsbaar en hervorming van de overheidsfinanciën kan bijdragen aan een meer concurrerende economie. Om deze problemen aan te pakken, zijn Europese afspraken nodig. Tijdens het schrijven van dit boek werd een nieuwe variant van het Stabiliteitspact afgesproken, die beoogt precies aan deze punten tegemoet te komen. Het zogenaamde 'sixpack' van 'president van Europa' Herman van Rompuy verwijst naar zes wetgevingshandelingen die de economische governance in de EU moeten aanscherpen. Vier voorstellen hebben betrekking op begrotingsaangelegenheden, terwijl twee nieuwe verordeningen gericht zijn op het binnen de EU en het eurogebied doeltreffend opsporen en aanpakken van macro-economische onevenwichtigheden. Het sixpack gaat daarmee explicieter dan de eerdere versies van het Stabiliteitspact in op macro-economische onevenwichtigheden. Landen kunnen hierop worden aangesproken en als ze weigeren iets te doen met de aanbevelingen van de Europese Commissie, kunnen zelfs financiële sancties worden opgelegd. De expliciete aandacht voor onevenwichtigheden is verstandig en een stap vooruit ten opzichte van het 'schuld en boete verhaal'. Het is echter moeilijk objectief vast te stellen wanneer sprake is van schadelijke macro-economische onevenwichtigheden. Is het grote Nederlandse overschot op de handelsbalans bijvoorbeeld schadelijk? Daarover kunnen economen blijvend van mening verschillen. Dat maakt het lastig om écht tot sancties te komen, maar de extra aandacht voor macro-economische onevenwichtigheden is welkom. Een andere aanscherping is dat de Europese Commissie in elk geval op papier een veel sterkere positie heeft om overtreders van de begrotingsnormen tot de orde te roepen en desnoods straffen op te leggen. De Commissie kan zelf besluiten tot sancties en alleen met een gekwalificeerde meerderheid kunnen de lidstaten deze sanctie terugdraaien – bovendien moeten ze zich dan verantwoorden in het Europese Parlement. Alhoewel de machtsbalans op papier een eind in de richting van de Commissie is verschoven, blijft het nog steeds een politieke beslissing om sancties op te leggen. De toekomst zal moeten leren of de tanden van het 'sixpack' scherper zijn dan die van zijn voorgangers. Naast het 'sixpack' zijn door de Europese leiders ook afspraken gemaakt over een 'Euro Plus Pact'. Kort door de bocht komt dit erop neer dat landen beloven verstandig structureel beleid te voeren. Dat is mooi, maar aangezien er geen sancties aan zijn gekoppeld, is het de vraag of het in praktijk veel uithaalt. Een duidelijk gemis is in elk geval dat het 'Euro Plus Pact' noch het 'sixpack' duidelijke afspraken maakt over de financiële sector, terwijl daar juist een van de belangrijkste oorzaken van de huidige problemen zit. Al met al is het 'sixpack' een stap vooruit. Zorgen zijn er met name over de tanden van het Stabiliteitspact. Daar waar de Commissie moet hopen op de kracht van regels, instituties en *peer pressure*, werden conflicten in het verleden sneller met militair vertoon beslecht. Ook dat was overigens lang niet altijd succesvol, zo zal blijken in het volgende hoofdstuk.

Verder lezen

Barry Eichengreen en Charles Wyplosz, 1998, 'The stability of the pact: more than a minor nuisance?', *Economic Policy*, vol. 13 (26), pp. 65-113, http://onlinelibrary.wiley.com/doi/10.1111/1468-0327.00029/pdf.
Het Stabiliteitspact richt zijn pijlen op het verkeerde doel: met beter toezicht op banken valt meer te bereiken dan met normen voor staatsschuld.

Paul de Grauwe, 1996, 'Monetary union and convergence economics', *European Economic Review*, vol. 40, pp. 1091-1101, http://www.sciencedirect.com/science/article/pii/0014292195001174.
De theorie van de optimale muntunie en meteen een vroege kritiek op de convergentiecriteria van de EMU.

European Commission, 2008, 'EMU@10, successes and challenges after 10 years of Economic and Monetary Union', *European Economy 2*, http://ec.europa.eu/economy_finance/emu10/emu10report_en.pdf.
Het wel en wee van de EMU tot de kredietcrisis.

Zalm, Gerrit, 2009, *De romantische boekhouder*, Amsterdam, Balans.
De totstandkoming van de EMU en de dood van het Stabiliteitspact beschreven door een insider.

Voor meer achtergronden bij dit hoofdstuk en informatie over de onderwerpen, zie www.cpb.nl/publicatie/europa-in-crisis.

6
Waarom lost een land zijn schulden af?

'People, justifiably, think the crisis is what we're living now: cuts in wages, pensions and incomes, fewer prospects for the young. Unfortunately this isn't the crisis. This is an attempt, a difficult attempt, to protect ourselves and avert a crisis. Because the crisis is Argentina: the complete collapse of the economy, institutions, the social fabric and the productive base of the country.'

GRIEKSE MINISTER VAN FINANCIËN
EVANGELOS VENIZELOS TEGEN JOURNALISTEN
IN SEPTEMBER 2011

- Of een land zijn schulden afbetaalt is vooral een politieke keuze. Wat dat betreft is het verrassend dat de meeste landen hun schulden gewoon afbetalen.
- Als een land in betalingsmoeilijkheden komt, is het onderscheid tussen een tijdelijk liquiditeitsprobleem en een structureel solvabiliteitsprobleem niet zwart-wit.
- Een permanent Europees noodfonds moet voorkomen dat landen in crisistijd buiten hun directe schuld in liquiditeitsproblemen komen..
- Regels voor schuld werken goed voor Amerikaanse staten, maar die hebben economisch ook een veel kleinere rol dan eurolanden.

Op 7 december 1902 vaardigden Engeland en Duitsland een gezamenlijk ultimatum uit tegen de regering van Venezuela. Venezuela moest met onmiddellijke ingang de betaling van de rente en aflossing op zijn schulden hervatten. Zo niet, dan zouden beide landen een zeeblokkade tegen Venezuela instellen totdat het land alsnog zou betalen. Toen Londen en Berlijn na twee dagen geen reactie uit Venezuela hadden ontvangen, voegden beide regeringen de daad bij het woord. Wie niet horen wilde, moest maar voelen. Voor de kust van Venezuela doemden Engelse en Duitse kanonneerboten op. Enkele dagen later voegde zich ook een Italiaans eskader bij dit gezelschap. De Venezolaanse marine was geen partij. Er werden een paar forten gebombardeerd en wat schepen tot zinken gebracht.

Op zee waren de Europeanen weliswaar heer en meester, maar te land hadden zij minder in te brengen. Engelse en Duitse staatsburgers werden gemolesteerd en hun bezittingen werden geroofd. Een extra complicatie was dat de Amerikaanse regering weliswaar aanvankelijk geen bezwaar had gemaakt tegen de blokkade, maar dat de publieke opinie in Amerika zich er meer en meer tegen keerde. In Washington werden onderhandelingen gestart. Er werd arbitrage ingesteld. In februari 1903 werd de blokkade uiteindelijk opgeheven. Duitsland en Engeland hadden toezeggingen in de wacht gesleept voor herstelbetaling. Deze episode is niet uniek in de eerste helft van de twintigste eeuw. De tijden van dit soort gewelddadige interventies om leningen terugbetaald te krijgen, lijken voorbij. Zoals de Engelse en Duitse ervaring in Venezuela laat zien, is het zelfs via deze weg geen sinecure om een vordering op een vreemde mogendheid te innen.

Een vordering op een land is dan ook iets heel anders dan een vordering op bijvoorbeeld een bedrijf. Het soevereiniteitsbeginsel is leidend voor de omgang tussen staten. Landen zijn de baas op eigen grondgebied. Een land stelt zijn eigen wetten vast en het kan niet gemakkelijk worden veroordeeld door een rechtbank uit een ander land. Een bank die krediet verschaft heeft aan de lokale kroegbaas voor de verbouwing van zijn etablissement, heeft een heel juridisch arsenaal ter beschikking om de terugbetaling van zijn krediet zeker te stellen: rechtszaken, beslagleggingen, deurwaarders en incassobureaus. De instituties van de rechtsstaat bieden de bank gemoedsrust over de inbaarheid van afgegeven kredieten. Maar de kroegbaas heeft die rechter ook nodig. Zonder rechterlijke macht had de bank immers niet kunnen weten of hij morgen zijn geld zou terugkrijgen. En dus had hij de kroegbaas vandaag nooit krediet gegeven. Dat de rechterlijke macht de kroegbaas dwingt zich te houden aan zijn belofte om het krediet terug te betalen, is dus uiteindelijk in het belang van die kroegbaas.

Op eigen grondgebied maakt de rechtsstaat het functioneren van de kapitaalmarkt mogelijk. Maar hoe zit dat tussen landen? Voor een serieuze vordering op de kroegbaas stapt de bank zonder problemen naar de rechter. Maar met een vordering op een buitenlandse mogendheid is dat niet zo eenvoudig. Een gang naar de eigen rechter biedt vanwege het soevereiniteitsbeginsel niet per se kans op succes, en een gang naar de rechter in het land dat de schuld heeft uitgegeven, eigenlijk evenmin. De angst voor de kanonneerboten is geleidelijk weggeëbd. Maar wat is dan tegenwoordig nog de reden dat de meeste landen hun staatsschuld zonder morren afbetalen? En als terugbetaling dan zo onzeker is, waarom lenen banken in het ene land dan geld uit aan een ander land?

Deze vragen zijn belangrijk omdat staatsschuld aan de basis van de crisis in het eurogebied ligt. Griekenland kon in goede tijden erg veel geld lenen, maar heeft nu hulp van de eurolanden en het Internationaal Monetair Fonds (IMF) nodig om niet om te vallen. Waarom waren buitenlandse kapitaalverschaffers jarenlang bereid Griekenland zoveel geld te lenen, terwijl de terugbetaling van die schuld nu moeilijk blijkt af te dwingen? En waarom is die bereidheid nu totaal verdwenen? En vreemder nog: waarom zijn de kapitaalmarkten even plotseling en bovendien op hetzelfde moment ook niet meer bereid om de staatsschuld van Spanje te financieren, terwijl dat land naar alle maten gemeten redelijk in staat is om zijn schuld normaal terug te betalen?

Terugbetaling is niet vanzelfsprekend

Waarom komen wij in het dagelijks leven meestal onze beloftes na? Wij vinden het onze eer te na om een gegeven woord niet na te komen. Over de diepere motieven achter deze overtuiging zijn boekenkasten vol geschreven. Nuchtere calculatie van het eigenbelang blijkt vaak de belangrijkste reden: 'Ik zou liefst vandaag mijn woord niet nakomen, maar morgen heb ik de ander weer nodig, dus ik kan maar beter vandaag mijn beloften nakomen'. Wat geldt in het dagelijks leven, geldt evenzeer in het verkeer tussen grote organisaties en landen. We zouden voor ieder wissewasje een contract kunnen afsluiten om vervolgens alle meningsverschillen over gedane beloftes voor de rechter uit te vechten. Dat is echter duur en omslachtig. Het is veel praktischer om een goede relatie op te bouwen waarin je van elkaar weet dat je op elkaar kunt vertrouwen. Het langetermijnvoordeel van een vertrouwensrelatie weegt dan zwaarder dan het gewin op de korte termijn van het niet hoeven nakomen van een kostbare belofte. Als het langetermijnvoordeel te klein wordt, komt het nakomen van de belofte dus ook in het geding.

Landen komen de belofte aan elkaar na in de wetenschap dat ze in de toekomst weer met elkaar verder moeten. Bij de staatsschuld zou het ook zo moeten werken. Een land komt zijn verplichtingen aan zijn schuldeiser na, omdat het land morgen ook weer op de kapitaalmarkt terecht moet kunnen. Dit was onder economen de gevestigde verklaring voor het feit dat de meeste landen hun schulden netjes terugbetalen. Totdat Kenneth Rogoff, een econoom die wij ook in hoofdstuk 4 tegenkwamen als één van de auteurs van het boek *This time is different*, samen met een paar collega's deze theorie nader op de proef stelde. Al snel bleken er gaten in de redenering te zitten. In de praktijk bleek namelijk dat landen die zich bankroet hadden verklaard en hun schulden niet afbetaalden, na de afwikkeling van het bankroet verrassend snel weer toegang kregen tot de kapitaalmarkt. De belangrijkste reden is dat 'de kapitaalmarkt' niet één persoon is die een wrok koestert als gevolg van gebroken beloftes in het verleden. 'De kapitaalmarkt' bestaat uit tal van kredietverstrekkers. Nieuwe kredietverstrekkers kijken enkel naar het risico dat een land in de toekomst een wanbetaler wordt. Zij hebben geen enkele reden om terug te kijken. Dat maakt het moeilijk een land te straffen voor zijn wanbetalingen uit het verleden.

Er zat daarnaast nog een tweede gat in de redenering dat een land zijn verplichtingen nakomt omdat het morgen ook weer op de kapitaalmarkt terecht moet kunnen. Als de enige reden om vandaag te betalen is dat het land dan morgen weer geld kan lenen, waarom zou het land dan niet vandaag weigeren te betalen? Dan houdt het geld op zak en hoeft het helemaal geen nieuw geld te lenen. Het zou nog de moeite waard zijn als de aflossing van vandaag kleiner is dan het krediet dat het land morgen wil opnemen. Dan is het voordeel van vandaag inderdaad kleiner dan de winst van morgen. Maar kijk dan naar het probleem vanuit het oogpunt van de kredietverlener. De enige reden waarom het land ooit iets wil aflossen, is dat het dan morgen weer meer krediet krijgt. Per saldo gaat de schuld dus alleen maar omhoog. Het is een piramidespel, waarbij de schuldeiser alleen maar kan hopen zijn inleg terug te krijgen door deze steeds te verhogen. Waarom zouden kredietverstrekkers daar willens en wetens aan beginnen? Of meer concreet: waarom hebben we Griekenland zoveel krediet verstrekt dat de schuldenlast nu duidelijk onhoudbaar is geworden?

In werkelijkheid is niet alle schuld in buitenlandse handen. Sommige schuld is in handen van de eigen burgers, van eigen pensioenfondsen of van het eigen bankwezen. Dat maakt bankroet een onaantrekkelijke optie. Allerlei belangengroepen lopen te hoop, sommige goed bij kas en invloedrijk en andere talrijk, en dus evenzeer invloedrijk. En een failliet nationaal bankwezen heeft grote economische schade tot gevolg. Bovendien zijn er allerlei andere mogelijke nare gevolgen van een bankroet: de internationale handel en het kapitaalverkeer van het land kunnen een forse knauw krijgen als er twijfels zijn over de toekomstige intenties van de machthebbers. Dat zijn voor een land allemaal goede redenen om zijn schuld af te betalen. Maar hoe het ook zij: de afbetaling van staatsschuld blijft problematisch.

Griekenland heeft nog steeds een primair tekort: de lopende uitgaven exclusief rentebetalingen zijn hoger dan de inkomsten. Als Griekenland vandaag geen krediet meer zou krijgen, dan zou het dus met onmiddellijke ingang zijn uitgaven moeten verlagen. De ambtenarensalarissen zouden simpelweg niet meer kunnen worden betaald. Het land heeft er veel belang bij het met de trojka van de Europese Unie, de Europese Centrale Bank (ECB) en het IMF eens te worden over de vereiste bezuinigingen en belastingverhogingen, om zo te garanderen dat het nieuwe kredieten krijgt om het lopende primaire tekort te financieren. Zodra de ombuigingen zo ver zijn gevorderd dat het primaire tekort is weggewerkt, wordt voor het land theoretisch de prikkel om nog met de trojka samen te werken minder sterk. Afgaande op de verhalen over het functioneren van de Griekse belastingdienst, zou deze theorie zomaar realiteit kunnen worden. Als er immers geen nieuwe kredieten meer worden gegeven, dan maakt dat niet meer uit voor de lopende begroting. Italië heeft nu al een primair surplus. Het kan bij wijze van spreken nu de betaling van zijn schulden stopzetten. Vandaar dat ingewijden zich zorgen maken over de Italiaanse bereidheid om serieus werk te maken van de noodzakelijke ombuigingen.

Wanneer kan een land zijn schuld niet meer betalen?

Om aan zijn verplichtingen te voldoen, moet een land rente en aflossing over zijn schuld betalen. Voor die betaling worden vaak nieuwe leningen afgesloten. Als financiers geen vertrouwen meer hebben in de kredietwaardigheid van een land, zullen ze in eerste instantie een hogere rente vragen voor die nieuwe leningen. Dat overkwam de perifere eurolanden gedurende het afgelopen jaar. Die hogere rentebetalingen maken het begrotingstekort en daarmee de schuld van een land alleen maar groter. Het is dan onvermijdelijk dat het land orde op zaken stelt in zijn begroting. Dat kan uiteraard op allerlei manieren: bezuinigen, belastingen verhogen of staatsbezit verkopen. Of dat echter voldoende is om te zorgen dan een land zijn schulden kan of wil terugbetalen, is maar helemaal de vraag.

In 1946, vlak na het einde van de Tweede Wereldoorlog, bedroeg de schuld van de VS 121 procent van het nationaal inkomen. In 1974 was dit niveau teruggebracht tot een schuldquote van iets minder dan 32 procent. Hoe hadden de VS deze reductie met bijna 90 procent in dertig jaar tijd voor elkaar gekregen? Het antwoord: een combinatie van economische groei en een begroting die min of meer in evenwicht was. Het is simpel boekhouden: gemeten in dollars stijgt de Amerikaanse schuld alleen bij een begrotingstekort. Tussen 1946 en 1974 verdubbelde deze schuld. Echter, als percentage van het nationaal inkomen daalde de schuld aanzienlijk, omdat het nationaal inkomen niet verdubbelde, maar verzevenvoudigde.

Zonder ooit een cent aflossing te betalen, maakt groei het mogelijk om de schuld als percentage van het nationaal inkomen toch te laten dalen. Sterker nog: groei maakt het mogelijk de schuld in absolute termen te laten stijgen, terwijl hij in relatieve termen daalt. Dit maakt het beter begrijpelijk waarom een land met een groeiende economie gemakkelijk financiering voor zijn schuld kan krijgen. Het land betaalt graag zijn rente en aflossing, want de financiering van de groei maakt dat het ieder jaar nog meer geld moet bijlenen. Zodra de groei van een land stilvalt, ontstaat er echter een probleem. Per saldo moet een land meer rente en aflossing betalen dan het als nieuw krediet op de kapitaalmarkt opneemt. De verleiding om met die betaling te stoppen wordt dan wel erg groot. Aangezien de groei in Europa de komende decennia lager uit zal vallen als gevolg van vergrijzing en ontgroening, en de daaruit voortvloeiende krimp van de beroepsbevolking, ligt het in de rede dat de terugbetaling van staatsschulden in de nabije toekomst wel vaker een probleem zal zijn.

Hoewel groei dus een goede strategie is om van een hoge schuld af te komen, is het niet eenvoudig om harder te groeien. Er bestaat geen wondermiddel dat economen of politici kunnen toedienen om de groei te bevorderen. Daarvoor zijn vaak pijnlijke maatregelen nodig, die niet van de ene dag op de andere dag effect hebben. Politici worden geconfronteerd met belangengroepen die tegen aantasting van verworven rechten zijn. De ervaring leert dat er meestal een grote crisis nodig is voordat de vaak ingrijpende hervormingen kunnen worden doorgevoerd die nodig zijn om de groei omhoog te krijgen. Nederland heeft in de jaren tachtig en negentig van de vorige eeuw met succes een dergelijk beleid gevoerd en plukt daar nu de vruchten van. Voordat die vruchten konden worden geplukt, moest ons land echter eerst tien jaar door de zure appel heen bijten. Pas vanaf 1995 begon de Nederlandse staatsschuld te dalen, ruim een decennium na de start van het hervormingsbeleid. De meeste perifere eurolanden zullen nu gedwongen zijn een soortgelijk beleid te voeren. Echter, ook daar zal het lang duren voordat de resultaten zichtbaar zijn.

Griekenland, Portugal en Ierland voeren in ruil voor steunmaatregelen forse bezuinigingspakketten door. Het Nederlandse beleid om achttien miljard in vijf jaar tijd te bezuinigen, verbleekt daarbij. Ambtenarensalarissen worden teruggeschroefd, uitkeringen verlaagd, de pensioenleeftijd verhoogd en de overheid afgeslankt. Daarnaast verhogen deze landen de belastingen en privatiseren zij vliegvelden, havens en ziekenhuizen.

Te streng ingrijpen kan echter averechts werken. De inwoners van een land worden 'bezuinigingsmoe' als ze alleen maar slecht nieuws voor de kiezen krijgen, zoals bezuinigingen, belastingverhogingen en oplopende werkloosheid zonder dat er een toekomstperspectief is. Op het moment dat een meerderheid van de inwoners van een land geen zin meer heeft in verdere hervormingen, wordt het voor democratisch gekozen regeringen lastig om door te gaan met bezuinigen. Dan neemt ook de kans op wanbetalen toe. Afgaande op de berichtgeving, waarin keer op keer melding wordt gemaakt van stakingen en van niet-gehaalde targets, lijkt dit in Griekenland aan de orde. Daarnaast zijn de bezuinigingen op korte termijn schadelijk voor de economische groei omdat de bestedingen teruglopen. Toch is er voor Griekenland nauwelijks een alternatief. Het land leidt aan de *Dutch Disease*, zie hoofdstuk 1. Het heeft jarenlang boven zijn stand geleefd. Daardoor was de binnenlandse vraag te hoog, waardoor het land zijn concurrentiekracht op de internationale markt verspeeld heeft. Herstel kan alleen via een verschuiving van de vraag van binnenlandse bestedingen naar export.

Een andere manier om de houdbaarheid van schuld te vergroten, is door de rente die kapitaalverschaffers vragen omlaag te brengen. Dat is echter makkelijker gezegd dan gedaan. Die rente daalt pas als het vertrouwen in het land hersteld is. Daar zijn bezuinigingen of groei voor nodig of structurele maatregelen die daar in de toekomst voor gaan zorgen. Als een land niet op eigen kracht in staat is om op korte termijn het vertrouwen van de kapitaalverschaffers te herstellen, dan heeft het land een liquiditeitsprobleem. Het land kan tijdelijk niet aan zijn betalingsverplichtingen voldoen. Het heeft dan hulp van buiten nodig, bijvoorbeeld van het IMF. Die instelling heeft decennialange ervaring met schuldsanering bij landen. Voor overheden is dit een manier om zichzelf te verplichten allerlei ingrijpende maatregelen te nemen.

Op die manier lost het IMF het probleem op dat we eerder bespraken. Wanneer een land zijn betalingsverplichtingen niet nakomt, is de beste manier om dat land te dwingen de stopzetting van alle nieuwe leningen. De concurrentie tussen kapitaalverschaffers maakt het onmogelijk om dat gecoördineerd te doen. Tijdens een betalingscrisis kan het IMF dat wel. Het IMF is dan immers de enige kapitaalverschaffer. Het fonds is daardoor in de best mogelijke positie om het land tot hervormingen te dwingen. Ingrijpende maatregelen worden daardoor geloofwaardiger, waardoor een land sneller het vertrouwen van de financiële markten kan terugwinnen. Behalve bij het IMF kunnen landen steun krijgen van andere landen die bijvoorbeeld leningen verstrekken tegen lage rentes. Dat deden Europese landen met Griekenland. In de hoop dat de rentes omlaag zouden gaan, kreeg Griekenland bilaterale leningen van de andere EMU-landen tegen rentes die onder het marktniveau lagen.

Als al deze maatregelen niet voldoende zijn om de schuld weer naar een acceptabel niveau te krijgen, zodat het land normaal aan zijn betalingsverplichtingen kan voldoen, dan heeft het land geen liquiditeits- maar een solvabiliteitsprobleem. In dat geval rest nog maar één optie: de herstructurering van de schuld, waarbij een deel van de schuld wordt kwijtgescholden. Maar op het moment dat een land in betalingsproblemen raakt, is meestal onduidelijk of het land een liquiditeits- of een solvabiliteitsprobleem heeft. Voor een antwoord op die vraag moeten namelijk allerlei aannames worden gemaakt over de factoren die we hierboven noemden: de verwachte groei, het effect van hervormingen op groei, de politiek haalbare bezuinigingen of de extra inkomsten uit hogere belastingen. Dat maakt het heel moeilijk om in te schatten of de hoge rente die de kapitaalmarkt vraagt, gerechtvaardigd is.

Liquiditeitscrises versterken zichzelf

Maar er is nog een tweede reden waarom de oorzaak van hoge rentes niet altijd duidelijk is. Een land kan namelijk in liquiditeitsproblemen komen zonder dat er ook maar enige onderliggende zwakte bestaat. Om dit te begrijpen is de vergelijking met banken handig. Banken kunnen blootstaan aan iets dat in de economische literatuur een 'zelfbevestigende paniek' wordt genoemd. Iedereen haalt dan zijn geld van de bank, niet omdat de bank er slecht voorstaat, maar omdat mensen denken dat andere depositohouders of financiers ook hun geld van de bank afhalen. Niemand wil in zo'n situatie achteraan in de rij staan, want dan ben je je geld kwijt. Daarom neemt iedereen het zekere voor het onzekere en probeert zo snel mogelijk zijn geld te innen. Gevolg is echter dat de bank ook écht in problemen komt, want er is onvoldoende geld direct beschikbaar. Daarom noemen we de paniek 'zelfbevestigend'. Om die reden is er voor banktegoeden een depositogarantiestelsel en daarom kunnen banken aankloppen bij de centrale banken voor liquiditeitssteun. De centrale bank functioneert als *lender of last resort*. Depositohouders weten dan dat een bank steun kan krijgen, dat liquiditeitsproblemen worden opgelost en dat ze niet bang hoeven te zijn om achteraan te sluiten. Niemand hoeft dus snel zijn geld te cashen. Tijdens de recente bankencrisis werd duidelijk hoe essentieel een dergelijke *lender of last resort* is. De markt voor interbancaire leningen droogde op. Zonder de steun van de centrale banken was het financiële stelsel geïmplodeerd.

Ook landen kunnen het slachtoffer worden van zelfbevestigende paniek. Als beleggers verwachten dat een land zijn schulden niet kan terugbetalen, vragen ze een hoge rente. En door die hoge rente neemt de kans toe dat een land ook daadwerkelijk zijn lening niet kan terugbetalen. Daarentegen, als beleggers verwachten dat het land zijn lening wél terugbetaalt, is de rente laag en kan het land ook echt zijn lening terugbetalen. Om een zelfbevestigende crisis te voorkomen is het van belang om gezonde landen die in een dergelijke paniekситuatie terechtkomen, ook van liquiditeitssteun te voorzien – net als banken. Ook voor landen moet er een geloofwaardige *lender of last resort* zijn. Voor de meeste landen is de eigen centrale bank zo'n *lender of last resort*. De Amerikaanse Federal Reserve kan in noodgevallen onbeperkt dollars uitgeven en Amerikaanse staatsleningen opkopen, om zo kortetermijnliquiditeitsproblemen te verlichten. De nadruk ligt op noodgevallen, want met een dergelijke actie riskeert een centrale bank zijn anti-inflatiereputatie, wat op de lange termijn erg kostbaar kan blijken te zijn. Landen in het eurogebied hebben geen centrale bank die op een dergelijke manier kan optreden, dat is zelfs expliciet verboden in het Verdrag van Maastricht. Het gemis van een Europese *lender of last resort* is een ernstige ontwerpfout in de Economische en Monetaire Unie (EMU). In plaats van een *lender of last resort* hoopten de opstellers van het Verdrag liquiditeitscrises te kunnen voorkomen met de regels van het Stabiliteitspact. Dat was onterecht, zo zagen we in hoofdstuk 5. Ook als iedereen zich wél aan die regels had gehouden, zouden er landen in problemen zijn gekomen. Dat de EMU geen *lender of last resort* nodig zou hebben, was in elk geval met de kennis van nu onjuist. We komen hier verderop nog op terug.

Net als bij banken, is er ook bij landen nog een extra probleem: dat van besmetting. Als de ene bank in moeilijkheden raakt, dan hebben vaak ook een aantal andere banken daar last van. Kapitaalverschaffers zijn wat dat betreft kuddedieren. Zij beschouwen de problemen van de ene bank als een signaal voor de kredietwaardigheid van andere banken: als het bij de één mis is, dan zal er bij andere banken ook wel een probleem zijn. En dus wordt het ook voor die banken moeilijker om zich te financieren. Dat fenomeen doet zich bij landen precies zo voor. De figuur laat de ontwikkeling van de rente voor de perifere eurolanden zien tussen oktober 2009 en oktober 2011. De rente voor deze landen ontwikkelt zich grotendeels parallel. Als de rente voor het ene land stijgt, dan stijgt hij ook voor andere landen. Dit is een duidelijk teken van besmetting. De Europese schuldencrisis is daarin niet uniek. Zo waren er ook tijdens de schuldencrisis in Latijns Amerika in de jaren tachtig duidelijk tekenen van besmetting. Tijdens de Azië-crisis van 1997 gold hetzelfde. Financieringsproblemen zijn maar deels het gevolg van het eigen beleid van een land. Deels is het ook het gevolg

Parallell verloop van de renteniveaus ten opzichte van de Duitse rente voor de perifere eurolanden toont het besmettingsgevaar

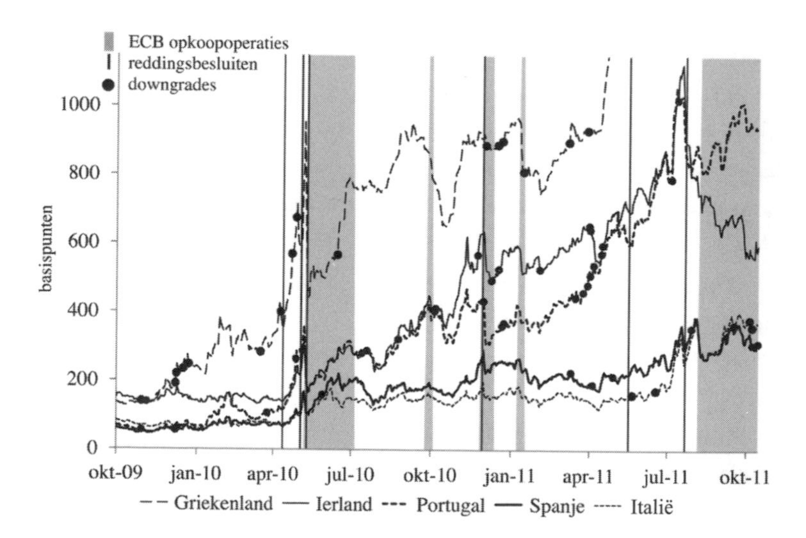

van kuddegedrag op de financiële markten. Dat maakt het extra nodig dat er een *lender of last resort* komt.

Een *lender of last resort* kan verlichting geven bij een liquiditeitsprobleem. Dan is er onderliggend niet heel veel aan de hand, maar wordt een land slachtoffer van paniek op de markt. Een liquiditeitsprobleem is daarom ook altijd een kortetermijnprobleem. Spanje en Italië vallen in principe in deze categorie: met vertrouwen van de financiële markten en dus een lage rente, kunnen beide landen aan hun verplichtingen blijven voldoen.

Waarom is staatsschuld binnen een muntunie extra lastig?

Wat zou zich de afgelopen twee jaar binnen de burelen van het Griekse ministerie van Financiën hebben afgespeeld? Over dit onderwerp wordt later vast een fraaie historische studie gepubliceerd. Voorlopig kunnen we er alleen maar naar raden. De druk op het ministerie vanuit binnen- en buitenland is voortdurend toegenomen. Binnenlandse belangengroepen wilden een einde aan de draconische bezuinigingen, buitenlandse schuldeisers wilden daar juist een begin mee maken. De bezoeken van de trojka moeten keer op keer zenuwslopend zijn geweest, de onderhandelingen keer op keer staaltjes van blufpoker. Hoeveel additionele bezuinigingen moest Griekenland deze ronde toezeggen om opnieuw een tranche geld van de EU en het IMF te krijgen? En hoe kon het ministerie verklaren dat de vorige ronde bezuinigingen toch nog niet gebracht had wat ervan verwacht was? Achter deze dagelijkse beslommeringen, ging een dieper liggende strategische vraag schuil: welk einddoel streefde het ministerie na? Wilde men een serieuze poging wagen om de schuld op lange termijn in zijn geheel af te lossen, of was het enige doel een voorlopig uitstel van executie, terwijl ondertussen werd aangestuurd op het bankroet van het land?

Bankroet overkomt een land niet. Het is altijd een politieke keuze: ruzie met de schuldeisers of ruzie met het eigen electoraat. In alle gevallen blijft de keuze om al of niet aan te sturen op een bankroet, een afweging tussen het kortetermijnvoordeel om geen rente en aflossing te hoeven betalen aan de ene kant en de langetermijnvoordelen van een goede reputatie aan de andere kant. En juist dat maakt de kapitaalmarkt zo instabiel. Zolang de markt er vertrouwen in heeft dat een land zijn schulden afbetaalt, is de rente op nieuwe staatsobligaties laag. Het is dan voor een land relatief aantrekkelijk om zijn rente en aflossing te blijven voldoen. Zodra de markt dat vertrouwen verliest en de rente op nieuwe staatsobligaties toeneemt, wordt het kortetermijnvoordeel van het niet nakomen van de verplichtingen plotseling veel groter. De kans dat de balans tussen voor- en nadelen van het nakomen van de betalingsverplichtingen van een land omslaat, neemt toe, waardoor de rente nog verder oploopt en daarmee de kans dat een land niet meer wil betalen. Het land komt terecht in vicieuze cirkel die onvermijdelijk eindigt met een bankroet, ook al is daar 'objectief' geen aanleiding voor. Dit is wat Spanje dreigt te overkomen. De Spaanse staatsschuld is als percentage van het nationaal inkomen kleiner dan die van Nederland en toch is de rente op Spaanse staatsobligaties veel hoger dan die van Nederland. Een beetje wantrouwen tegen Spanje is voldoende om de neerwaartse spiraal in gang te zetten.

De VS staan er budgettair nog veel slechter voor dan Spanje. De kredietwaardigheid van de VS werd op 6 augustus 2011 naar beneden bijgesteld door kredietbeoordelaar Standard & Poor's. De grote tekorten en oplopende staatsschuld vormen reden tot zorg. Zorgwekkender is nog dat de Amerikaanse politiek tijdens de onderhandelingen over ophoging van het schuldplafond had laten zien niet in staat te zijn afspraken te maken om de overheidsfinanciën weer op orde te krijgen. Zou u liever uw geld uitlenen aan dit land dan aan een land als Spanje dat al geruime tijd alles op alles zet om hervormingsmaatregelen door te voeren en zelfs de grondwet heeft aangevuld met regels voor het begrotingstekort? De financiële markten blijkbaar wel. In de weken na de neerwaartse bijstelling van de kredietwaardigheid daalde de rente op Amerikaanse staatsschuld. Dichter bij huis valt de lage rente op Britse staatsschuld op, terwijl ook dat land te kampen heeft met een hoog begrotingstekort en een sterk opgelopen staatsschuld. Het Britse tekort was in 2010 net zo hoog als dat van Griekenland (ruim 10 procent bbp), terwijl de schuld in 2010 was gestegen naar 80 procent bbp, van 'slechts' 45 procent bbp in 2007.

Waarom richten kredietverstrekkers wel hun pijlen op Spanje (en Italië), maar niet op de VS en het VK? De Belgische econoom Paul de Grauwe is een erkend specialist op het gebied van de wisselkoersen. Zijn columns in de *Financial Times* worden goed gelezen. Zijn antwoord op bovenstaande vraag is eenvoudig: het ligt aan de EMU. Er is in het eurogebied geen *lender of last resort*. Landen in het eurogebied hebben, in tegenstelling tot de VS en het VK, geen eigen monetair beleid en beschikken niet over de ultieme mogelijkheid om staatsschuld af te betalen door het bijdrukken van extra dollars of ponden. De schuld van het VK is genoteerd in Britse ponden. Zodra de Britse economie in moeilijkheden raakt en de overheid minder belastinginkomsten krijgt, kan de staatsschuld moeilijker worden afgelost. Echter, dan daalt tegelijkertijd de waarde van het pond. Daardoor neemt automatisch de waarde van de Britse schuld, uitgedrukt in euro's, af. Voor Spanje is dit niet het geval. Als de financiële markten het vertrouwen in het land verliezen dan heeft dat geen directe gevolgen voor de koers van de euro. De variaties in de koers van het Britse pond bieden het VK een soort verzekering tegen onverwachte tegenvallers in de economische groei. Op het moment van schulduitgifte betaalt het VK dan een iets hogere rente, als een soort verzekeringspremie. Als het slecht gaat, dan zorgt de daling van de koers van het pond echter voor automatische schuldreductie. Spanje kan dat alleen bereiken door een herstructurering van zijn schuld, zoals dat nu voor Griekenland gebeurt. Dat is echter een veel moeilijker proces dat niet zonder reputatieverlies kan worden gerealiseerd. Omdat individuele landen binnen een muntunie het ventiel van de wisselkoers missen, is er dringend behoefte aan een *lender of last resort* voor landen met liquiditeitsproblemen.

Deze ontwerpfout is een mogelijke verklaring voor het feit dat het vertrouwen van beleggers in Spanje veel sneller omslaat dan dat in het VK en de VS. In hoofdstuk 7 zien we dat de Europese leiders met allerlei ad hoc noodmaatregelen deze fout proberen te herstellen. Maar er zijn meer verklaringen. Zo is bijvoorbeeld het vertrouwen in het groeipotentieel van de VS en het VK waarschijnlijk groter. En onderliggend staan de overheidsfinanciën er ook beter voor, al was het maar omdat de belastingen in beide landen zo laag zijn dat ze gemakkelijk iets verhoogd zouden kunnen worden. Een laatste verklaring is dat marktpartijen een veel grotere keuze hebben voor hun eurobeleggingen. Hebben ze zorgen over de besluitvaardigheid van de regering in het ene euroland, dan kunnen ze zo hun beleggingen verplaatsen naar een ander euroland. Voor een belegger die zijn belegging graag in dollars wil aanhouden, is er echter geen gemakkelijk alternatief voor Amerikaanse staatsschuld.

Valide redenen en dus regels voor staatsschuld

Staatsschuld is bijna even vanzelfsprekend als belastingen. Bijna ieder land heeft een staatsschuld, we weten niet beter. Toch is het de moeite waard om stil te staan bij de vraag waarom de overheid een schuld heeft. Staatsschuld is niet anders dan een uitgestelde belastingclaim. De huidige generatie belastingbetalers bouwt een schuld op die de volgende generatie zal moeten afbetalen. Waarom doen we dat? Waarom draait iedere generatie niet gewoon op voor zijn eigen rekening? Daarvoor zijn goede en minder goede argumenten.

De dagelijkse files op de A13 geven veel overlast. Bumper aan bumper staan de auto's iedere ochtend in de rij. De draaiende motoren zorgen voor een gestage stroom van zinloze CO_2-uitstoot. De automobilisten verspillen zo hun kostbare tijd. Economen maken er een sport van al die kosten te herleiden tot harde euro's. De jaarlijkse verspilling kan worden teruggerekend tot een schadebedrag. Een paar kilometer verderop ligt een kant-en-klaar tracé voor een parallelle snelweg nu al jaren te wachten op een laagje asfalt. Waarom wordt die snelweg niet aangelegd? Laten we veronderstellen dat geldgebrek de oorzaak is. Stel dat de overheid het geld voor de aanleg van die snelweg leent op de kapitaalmarkt. Zolang de rente en aflossing over die lening lager zijn dan het jaarlijkse schadebedrag van de file is dat een goede investering. Investeringen in nuttige publieke voorzieningen zijn dus een goede reden om staatsobligaties uit te geven. Zoals we hieronder zullen zien, hebben veel Amerikaanse staten deze reden zelfs tot de enige goede reden verklaard.

De conjunctuur is een andere valide reden voor staatsschuld. De economische conjunctuur is veranderlijk. Na een fase van hoogconjunctuur volgen onvermijdelijk een paar magere jaren. Recessies zullen de economie bij tijd en wijle blijven raken. Zoals we zagen in hoofdstuk 1, zijn er voor een land diverse manieren om zich tegen een recessie te beschermen. Tijdens een recessie dalen de belastinginkomsten. De lokale politici hebben dan twee keuzen: ze zetten de tering naar de nering via hogere belastingen of lagere overheidsuitgaven, of ze kiezen ervoor om tijdens de laagconjunctuur de daling van de belastinginkomsten voor lief te nemen en het tekort te dekken met extra staatsschuld. Die extra staatsschuld functioneert als een buffer. Was de overheid die extra schuld niet aangegaan, maar waren in plaats daarvan de belastingen verhoogd, dan zou de vraag nog verder zijn ingestort. De gevolgen van de recessie zouden nog ernstiger zijn. Staatsschuld is dus deels een erfenis van recessies uit het verleden, een verzekeringsfonds voor economische tegenwind. In economisch goede tijden heeft de overheid dan – als het goed is – een overschot en loopt de schuld weer terug. Europa en Amerika beschermen zich op verschillende manieren tegen conjunctuurschommelingen. Zoals we in hoofdstuk 1 zagen, wordt die bescherming in Amerika geregeld door de federale overheid. Van iedere dollar inkomen die een Amerikaanse staat misloopt door slecht economisch weer, wordt twintig tot dertig cent opgevangen door de federale (Amerikaanse) begroting. De staten hoeven zich bij het opstellen van hun begroting van de economische omstandigheden dus minder aan te trekken. Hun directe belastinginkomsten zijn sowieso beperkt, dus economische tegenwind heeft daar niet zoveel grip op. Dat maakt het beheer van hun begroting een stuk overzichtelijker. In Europa is de situatie heel anders. Brussel speelt bij de bescherming hoegenaamd geen rol. De nationale overheden hebben allemaal hun eigen parapluutje. Van iedere euro die een land in Europa door economische tegenwind misloopt, wordt veertig tot vijftig cent opgevangen door de nationale overheid.

Er is echter nog een andere reden voor staatsschuld. Voor politici is de volgende verkiezingsdatum een belangrijke horde voor de voortzetting van hun carrière. Het is dus zaak de kiezer voor de volgende verkiezingen een zichtbaar resultaat te bieden, bijvoorbeeld via een belastingverlaging. Door staatsschuld te laten oplopen, wordt de rekening van die belastingverlaging naar de toekomst doorgeschoven. Voor de kiezer is het nadeel van die hogere staatsschuld minder zichtbaar dan het voordeel van de belastingverlaging. Daarom beloont hij de politicus die een dergelijk beleid voert met zijn steun, in zekere zin ten onrechte. Daarnaast kan de kiezer echter ook hopen dat de rekening van die hogere staatsschuld bij toekomstige generaties terechtkomt. Dit proces heeft zich in de geschiedenis veelvuldig voorgedaan. Ook dit is een reden waarom overheden schulden maken, alhoewel misschien geen goede reden.

Om dit laatste probleem te ondervangen, hebben veel Amerikaanse staten grondwettelijke regels die politici verplichten te werken met een sluitende begroting voor de lopende uitgaven en hen verbieden schuld uit te geven. Alleen voor investeringen mogen zij schuld uitgeven. Dit laatste sluit aan bij de eerste reden voor schulduitgifte, namelijk investeringen in zinvolle publieke voorzieningen. De lopende uitgaven van Amerikaanse staten moeten echter worden gedekt door huidige belastinginkomsten. Het opnemen van schuld is in veel staten niet toegestaan. Dergelijke regels zijn prima voor Amerikaans gebruik. Voor Europa zijn ze niet zomaar te kopiëren. De taken zijn in Europa anders verdeeld. Bescherming tegen de grillen van de economische conjunctuur is in Amerika een federale taak, terwijl het in Europa een taak is van de lidstaten. Nog los van het feit dat de overheid in Amerika sowieso kleiner is dan in Europa, betekent dit dat de rol van een Amerikaanse staat in het economische proces veel kleiner is dan die van een Europees land. Mede daarom is de staatsschuld van de Europese lidstaten veel moeilijker in toom te houden dan die van de Amerikaanse staten.

Hoe verder?

Op 20 september 2011 maakte het zo goed als failliete Griekenland weer 769 miljoen euro aan rente en aflossing over aan tal van schuldeisers. Nu heeft dat land vooralsnog weinig keus. Omdat het nog steeds een tekort heeft, is Griekenland niet in de positie om eenzijdig de stekker eruit te trekken. Het land heeft de kredieten van Europa en het IMF nodig om de overheidsuitgaven te kunnen betalen. Maar ook Italië – dat exclusief te betalen rente wel een overschot heeft – betaalt netjes rente en schuld, zelfs als het door de markten tegen de muur wordt gezet, zoals begin augustus 2011 gebeurde. Toch stemt onze analyse verre van vrolijk. Het afbetalen van staatsschuld is minder vanzelfsprekend dan het op het eerste gezicht lijkt. En dankzij de grote grensoverschrijdende verwevenheid van de financiële sector is het probleem van het ene land ook een probleem voor andere landen. Zo verwordt een te hoge schuld in een klein land tot een crisis voor het hele eurogebied. Een financiële crisis die de EMU in het hart heeft geraakt en zelfs het voorbestaan bedreigt. Hoe deze crisis zich heeft ontsponnen, welke medicijnen er zijn geprobeerd en wat er zou kunnen werken, bespreken we in het volgende hoofdstuk.

Verder lezen

Tamim Bayoumi, Morris Goldstein en Geoffrey Woglom, 1995, 'Do Credit Markets Discipline Sovereign Borrowers?', Evidence from U.S. States, *Journal of Credit, money and banking*, vol. 27(4), pp 1046-1059, http://www.jstor.org/stable/pdfplus/2077788.pdf.
Laat zien dat de rente voor Amerikaanse staten toeneemt met hun staatsschuld en afneemt met grondwettelijke beperking op het financieringstekort.

Paul De Grauwe, 2011, *Managing a Fragile Eurozone*, CESifo Forum, vol. 12(2), pp. 40-45,
http://www.cesifo-group.de/portal/pls/portal/docs/1/1211472.PDF.
Waarom heeft Spanje meer last van de crisis dan het VK terwijl het een lagere staatsschuld heeft?

Kris James Mitchener en Marc D. Weidenmier, 2005, *Supersanctions and Sovereign Debt Repayment*, NBER Working Paper 11472,
http://www.nber.org/papers/w11472.
Welke sancties hebben schuldeisers om landen te dwingen om hun schulden terug te betalen?

Ugu Panizza, Federico Sturzenegger en Jeromin Zettelmeyer, 2009, 'The Economics and Law of Sovereign Debt and Default', *Journal of Economic Literature*, vol. 47(3), pp. 1-47, http://pubs.aeaweb.org/doi/pdfplus/10.1257/jel.47.3.651.
Overzichtsstudie over staatsschuld: waarom betalen landen terug? Wanneer stoppen ze ermee?

Lorenzo Bini-Smaghi 2011, 'Sovereign risk and the Euro, Speech gehouden bij de London Business School op 9 februari 2011', http://www.ecb.int/press/key/date/2011/html/sp110209.en.pdf?09f18299dde651bb4d29dc1ff09fb2ab.
ECB-directielid Lorenzo Bini-Smaghi legt uit waarom een euroland als Griekenland zijn schuld niet mag herstructureren.

Voor meer achtergronden bij dit hoofdstuk en informatie over de onderwerpen, zie www.cpb.nl/publicatie/europa-in-crisis.

7
Europa als crisismanager

'Throughout the euro crisis EU *leaders have never missed an opportunity to miss an opportunity and yesterday's meeting between German chancellor Angela Merkel and French president Nicholas Sarkozy was no exception.'*

ECONOOM MEGAN GREENE OP HAAR WEBLOG NA DE TOP TUSSEN MERKEL EN SARKOZY OP 16 AUGUSTUS 2011

- Herstructurering van de Griekse schuld hoeft niet samen te gaan met het uittreden van Griekenland uit de euro.
- Verzet tegen herstructurering van de Griekse schuld ten laste van private schuldeisers is moeilijk te begrijpen en strijdig met de no-bailout clausule.
- Herstructurering van Griekenland vereist een effectief noodfonds van een paar duizend miljard euro om besmetting naar Italië en Spanje te voorkomen.
- Eurobonds kunnen werken, maar vereisen vergaande overdracht van bevoegdheden voor het begrotingsbeleid van de lidstaten naar een Europese instelling.

Achterblijvende economische groei, in een land dat steeds meer importeert en minder exporteert. Een overheid die steeds meer moet lenen, omdat de regering het niet aandurft om te bezuinigen of ingrijpende hervormingen door te voeren. En uiteindelijk beleggers die het vertrouwen in de staatsobligaties opzeggen en massaal hun leningen dumpen, waardoor de rente stijgt tot onhoudbare niveaus.

Spanje? Italië? Nee, dit ging over het Verenigd Koninkrijk (VK), dat in 1976 moest aankloppen bij het Internationaal Monetair Fonds (IMF). Op 27 september 1976 zag de toenmalige Britse premier Denis Healey zich gedwongen op het laatste moment terug te keren van het vliegveld Heathrow – hij was op weg naar Manilla voor gesprekken met het IMF – om met een toespraak de paniek op financiële markten te dempen. Toen hij in zijn speech aangaf dat loonmaatregelen noodzakelijk waren, werd hij in de beste Britse traditie uitgejoeld door zijn partijgenoten. Uiteindelijk kwam het pond zodanig onder druk dat alleen een IMF-lening verdere devaluatie kon voorkomen. Het VK vroeg om een lening van 2,3 miljard pond. In ruil eiste het IMF een slagvaardige aanpak van met name de hoge inflatie en de hoge werkloosheid. Onder de vele gedetailleerde voorwaarden zat ook een verhoging van de alcohol- en tabaksaccijns met tien procentpunt. Het begrotingstekort moest in twee jaar tijd worden teruggebracht van 9 procent bbp naar 5¼ procent bbp – een vergelijkbare verbetering wordt nu van Griekenland geëist.

De gang naar het IMF was voor het VK de opmaat voor grote structurele veranderingen, uitgevoerd onder Healey's opvolger Margaret Thatcher. Grotendeels dankzij Thatcher werd het 'aanboddenken' in Europa gemeengoed: in plaats van de economie te stimuleren met overheidsuitgaven, werd de economie structureel hervormd. Dit ging gepaard met pijnlijke ingrepen, zoals een flexibilisering van de arbeidsmarkt, het breken van de macht van de vakbonden, verkoop of sluiting van overheidsbedrijven, versobering van de sociale zekerheid en het afschaffen van tal van subsidies. De problemen in het VK waren van dien aard dat alleen grondige structurele hervormingen de economie weer op de rails konden krijgen. Het IMF-krediet zelf was geen oplossing, maar zorgde wel voor lucht waardoor vervolgens serieus werk kon worden gemaakt van de benodigde hervormingen. In Nederland voerde premier Lubbers begin jaren tachtig een beleid dat sterk was geïnspireerd op dat van Thatcher. Het hervormingsbeleid was succesvol: zowel Nederland als het VK werden sinds begin jaren tachtig twee keer zo rijk.

In de jaren negentig en helemaal aan het begin van het eerste decennium van deze eeuw groeide het idee dat het VK het laatste rijke land was dat ooit nog in dergelijke problemen was gekomen. Men dacht dat IMF-leningen alleen voor opkomende economieën waren. Zo werkte het ook in de praktijk. Na het VK was er 32 jaar geen westers land meer dat een IMF-lening kreeg. Daarbij gingen begin jaren negentig ook in de rest van de wereld minder landen bankroet. Tussen 1983 en 1991 waren er elk jaar bijna vijftien landen die op een of andere manier hun schuld niet meer volledig konden afbetalen. Na 1995 daalde dit aantal tot ongeveer vier landen per jaar. Dit paste ook in het beeld van stabiliteit op markten en gestage economische groei. Economen noemden dit de '*great moderation*', de grote matiging, omdat de omvang van de conjunctuurschokken in die periode zo gematigd was. De Engelse president van de centrale bank, Mervyn King, had het over de '*nice decade*'. Doordat monetair beleid zich sterker richtte op het beheersen van inflatie en daar beter in slaagde dan voorheen, en doordat technologische vooruitgang bedrijven beter in staat stelde hun voorraden te managen, zou de ontwikkeling van de wereldeconomie veel minder schoksgewijs en veel voorspelbaarder verlopen. Onder dergelijke stabiele omstandigheden komt wanbetaling of herstructureren van overheidsschuld minder vaak voor.

Toch weer een dreigend bankroet: Griekenland

Dat een land uit het eurogebied ooit een beroep zou moeten doen op het IMF werd helemaal ondenkbaar geacht. De landen vormden immers een monetaire unie, dus aanvallen door speculanten op de munt van een individueel land waren simpelweg niet meer mogelijk. Dat bleek te optimistisch. Als Griekenland bankroet gaat, dan zou dat het eerste bankroet in de geïndustrialiseerde wereld zijn sinds Japan en Duitsland dat lot trof na de Tweede Wereldoorlog. Zelfs het VK heeft zijn schuld volledig afbetaald.

In februari 2010 weigerden de andere Europese lidstaten financiële garanties te geven. In plaats daarvan beloofden de Europese leiders om Griekenland 'te helpen bij het reduceren van zijn tekorten'. Ze verklaarden dat ze: 'vastberaden en gecoördineerd actie (zouden) ondernemen als het garanderen van de stabiliteit dat vereiste'. Het lukte de Griekse regering in februari nog om vijf miljard euro op te halen in de markt, maar de rentes waren zo hoog dat de schuld snel onhoudbaar werd. Desondanks aarzelde de Griekse regering over het aanvragen van steun bij het IMF. In april 2010 was het dan toch zover. Griekenland vroeg en kreeg alsnog steun van de eurolanden. Volgens de eurolanden ging het om tijdelijke liquiditeitssteun die volledig zou worden terugbetaald. Dat de eerste stappen in april 2010 volstrekt onvoldoende waren, bleek nog geen maand later. Begin mei 2010 werd het steunbedrag voor Griekenland meer dan verdubbeld tot 110 miljard euro, waarvan tachtig miljard van de Europese lidstaten afkomstig was en dertig miljard van het IMF.

Tegelijk met de nieuwe steun aan Griekenland riepen de eurolanden een tijdelijk Europees noodfonds in het leven, de *European Financial Stability Facility* (EFSF) met een kapitaal van 440 miljard euro in kas. Door aan te geven dat de eurolanden een grote pot met geld hadden klaarstaan, zou het niet meer aantrekkelijk zijn voor speculanten om de rente voor eurolanden op te drijven. In feite was de EFSF de *lender of last resort* voor landen, zoals die in het vorige hoofdstuk besproken is.

Het tijdelijke noodfonds zou in 2013 over moeten gaan in een permanent noodfonds, het *European Stability Mechanism* (ESM).

De rente die de EFSF moest betalen over zijn kapitaal, is afhankelijk van de kredietwaardigheid van het fonds. Die kredietwaardigheid wordt ingeschat door kredietbeoordelaars zoals Moody's en Standard & Poor's. Om de hoogste waardering te krijgen, een AAA-status, maakte het fonds gebruik van dezelfde financiële logica die banken gebruikten voor Mortgage Backed Securities, de gebundelde en opgeknipte pakketten hypotheken die aan de basis van de bankencrisis van 2008 stonden. Deze complexe structuur werd gekozen, omdat landen dan alleen garanties hoefden te geven en niet direct krediet aan het EFSF hoefden te verlenen. Directe kredietverlening was vooral voor Duitsland een politiek probleem. Volgens een ingewikkelde juridische logica werd op deze manier de *no-bailout* clausule strikt formeel gezien niet geschonden. De juridische complexiteit had echter een prijskaartje: de EFSF kon niet voor 440 miljard aan noodleningen verstrekken, maar voor slechts 250 miljard. Bovendien viel er met elk nieuw land dat steun aanvroeg, een contribuant aan de EFSF weg. Met Griekenland, Ierland en Portugal viel 30 miljard weg. Frankrijk had van landen met een AAA-beoordeling de slechtste positie. De *lender of last resort* verloor daardoor snel zijn geloofwaardigheid. Willem Buiter, chief economist bij Citibank, pleitte voor een EFSF ter grootte van 2.000 miljard euro, terwijl Nout Wellink bij zijn afscheid als president van De Nederlandsche Bank een minimale omvang van 1.500 miljard noemde.

In november 2010 volgde 85 miljard euro steun voor Ierland, waaraan ook de Britten, de Zweden en de Denen bijdroegen. Hiervan was 50 miljard voor de Ierse overheid en 35 miljard voor het Ierse bankwezen. Tegelijk werden ook de plannen voor het ESM aangepast. Om private schuldeisers te kunnen betrekken bij toekomstige herstructurering van schuld, zouden *collective action clauses* (CAC's) in de schuldcontracten moeten worden opgenomen. Dergelijke clausules maken het mogelijk om alle schuldeisers te verplichten een deel van hun vordering in te leveren als een meerderheid dat wil. Dat voorkomt dat een individuele schuldeiser niet akkoord gaat met herstructurering om zo toch nog het volle pond te proberen binnen te halen. Maar door deze CAC's in te voeren op een moment dat er al aarzeling was over de terugbetaling, werd de onrust op de financiële markten alleen maar versterkt.

In maart 2011 werden de garanties voor de EFSF opgetrokken naar 780 miljard euro, wat effectief neerkwam op 440 miljard euro, nog steeds veel minder dan de 2.000 miljard euro die door Buiter bepleit was. Het fonds kreeg de mogelijkheid om direct staatsobligaties van de landen met betalingsmoeilijkheden te kopen. Tegelijk werd afgesproken om de rentes voor Griekenland van vijf naar vier procent te verlagen. Tot op het laatste moment bleef onduidelijk of parlementen met deze voorstellen zouden instemmen. Angela Merkel behaalde in de Bondsdag een nipte meerderheid, terwijl het Slowaakse parlement pas in tweede instantie instemde na de val van de regering. In april 2011 moest ook Portugal steun vragen. Het land kreeg 78 miljard euro van de EFSF en het IMF. Het spande erom of de plannen wel door alle Europese regeringen goedgekeurd zouden worden. Met name Finland lag dwars. Uiteindelijk gingen alle regeringen toch overstag.

In juli 2011 bleken de inzichten van de EU-leiders alweer achterhaald. De bevoegdheden van de EFSF werden verder verruimd. Het fonds mocht voortaan ook overheidsschuld opkopen op de markt, kortlopende kredieten geven aan landen die nog geen gebruik maakten van de EFSF, en kapitaal verstrekken aan kwakkelende Europese banken. Tegelijkertijd werden de rentes voor Ierland en Portugal verlaagd naar 3,5 procent en werd de looptijd van de leningen verlengd van 7,5 naar minimaal 15 jaar. Het meest ingrijpend was nog de poging tot een ultieme bailout van Griekenland. De EMU-landen stelden een nieuw reddingspakket samen van 109 miljard euro. Daarnaast moest ook de private sector een bijdrage leveren. Banken konden bestaande Griekse schulden 'vrijwillig' inwisselen voor nieuwe claims, met een lagere waarde. In feite was dit een herstructurering van de Griekse schuld. Volgens de officiële berekening door de internationale lobbyclub van de banken, het Institute of International Finance (IIF) was sprake van een verlies van 21 procent. Als alle banken meededen, zou dit tot 2019 106 miljard euro opleveren. Ook bleek Finland een eigen onderpand van Griekenland te hebben bedongen. Meer onderpand voor de één betekende minder voor de ander. Eenheid in de EMU was ver te zoeken.

Gegeven de omvang van de officiële steun en de al ingecalculeerde verwachtingen van de kapitaalmarkt, is het opvallend dat private schuldeisers zo voorzichtig worden aangepakt. De *no-bailout* clausule impliceert dat andere lidstaten de schulden niet overnemen van een lidstaat die niet meer aan zijn verplichtingen kan voldoen. De schuldeisers zijn hier zelf verantwoordelijk voor. Een herstructurering van de schuld zou dus ten laste van hen moeten komen. Dit wordt echter bemoeilijkt door het contractrecht, dat in de praktijk harder blijkt dan bijvoorbeeld Europees verdragsrecht. Overheden kunnen private partijen niet zomaar dwingen een deel van hun vordering op te geven. In de praktijk verloopt het betrekken van private crediteuren daarom meestal vrijwillig en in overleg, zoals dus ook bij Griekenland het geval is. De discussie over de invoering van CAC's in schuldcontracten komt dus niet uit de lucht vallen. Met name centrale bankiers hebben zich echter ook om andere redenen verzet tegen een herstructurering van de Griekse schuld ten laste van de schuldeisers. Wij komen hier later op terug.

In september 2011 stelde de Griekse regering de groeiraming naar beneden bij. De Griekse economie kromp met meer dan vijf procent. Er ontstond onenigheid met de Griekse regering: de trojka trok zich tijdelijk terug en de Duitse minister van Financiën Wolfgang Schäuble riep dat Griekenland uit de EMU gezet moest worden. Als eerste president van een centrale bank liet de nieuwe DNB-president Klaas Knot doorschemeren dat ook hij rekening houdt met een bankroet van Griekenland.

Deze droevige geschiedenis maakt duidelijk dat de Europese regeringsleiders vanaf de eerste aankondiging van de financiële problemen in Griekenland door de Griekse minister van Financiën George Papaconstantinou in oktober 2009 waar hoofdstuk 1 van dit boek mee opende, tot op de dag van vandaag steeds achter de feiten hebben aangelopen. Een lender of last resort ontbrak. Daardoor ontstond groot wantrouwen op de kapitaalmarkt. De verzekeringen van de regeringsleiders dat de problemen effectief zouden worden aangepakt, misten geloofwaardigheid. Daardoor sloeg de crisis over van Griekenland naar de andere perifere eurolanden, net zoals dat ook bij de eerdere crises in Azië en Zuid-Amerika was gebeurd, zie de bespreking in het vorige hoofdstuk. Als Europa een effectieve bestuursstructuur had gekend die snel en beslissend had kunnen ingrijpen, dan was de Europese schuldencrisis nooit ontstaan. De financiële problemen in Tilburg en Enschede na de ondergang van de textielindustrie hebben de gulden indertijd ook niet tot de rand van de afgrond gebracht.

De rol van de ECB

Door de moeizame besluitvorming was besmetting naar andere landen bijna onvermijdelijk. Begin augustus liep het verschil tussen enerzijds de Spaanse en Italiaanse rente en anderzijds de Duitse rente scherp op. In een 'geheime' brief van 6 augustus 2011 aan de Italiaanse premier Silvio Berlusconi suggereerden de toenmalige president van de Europese Centrale Bank (ECB) Jean Claude Trichet en zijn opvolger Mario Draghi een aantal hervormingen die zouden helpen bij het afslaan van een speculatieve aanval op de Italiaanse staatsschuld. Deze voorstellen voor hervormingen werden algemeen geïnterpreteerd als voorwaarden voor steun van de ECB aan Italië. Maandag 8 augustus 2011 ging Berlusconi akkoord met omvangrijke bezuinigingen en kocht de ECB Spaanse en Italiaanse obligaties op om de rente te drukken. De rentes daalden. Toen de buit binnen was, krabbelden de Italianen overigens terug en schrapten ze enkele maatregelen.

Door deze actie kwam de ECB in een ongewenste rol. De omvang van de schuldaankopen nam sterk toe. Daarmee kwam de centrale bank heel dicht in de buurt van begrotingssteun en dat is een taak die de ECB expliciet is verboden. Door de brief aan Berlusconi leek de ECB zich met nationaal begrotingsbeleid te bemoeien. Dat ging ECB-hoofdeconoom Jürgen Stark veel te ver. Op 9 september 2011 kondigde hij zijn ontslag aan. Zoals wij in het volgende hoofdstuk zullen zien, was Stark één van de grondleggers van de ECB. Zijn ontslag was dus een schok voor de financiële wereld. Wereldwijd daalden de aandelenkoersen die dag met twee á drie procent. Stark moet dit hebben voorvoeld. Hij moet dus goede redenen hebben gehad voor dit besluit.

De redenen zitten onder andere in zijn vrees voor de gevolgen van dit besluit voor de onafhankelijkheid van de ECB. De onafhankelijkheid van centrale banken is de nieuwe gouden standaard van het monetaire beleid, aldus *The Economist* in 2008. De gouden standaard, de vaste wisselkoers tussen de nationale munt en goud, was lange tijd de hoeksteen van het monetaire stelsel. Die rol is tegenwoordig overgenomen door de onafhankelijkheid van centrale banken. Zij beslissen zelfstandig over het te voeren monetaire beleid. Ze hoeven zich daar niet of nauwelijks tegenover democratisch gekozen organen voor te verantwoorden. Macht corrumpeert en absolute macht nog meer. Daarom is de vaste stelregel dat iedere politieke beslissing democratische legitimatie vereist. Waarom zou dat voor de bevoegdheid om de rente vast te stellen dan niet gelden?

Vroeger dachten economen dat samenlevingen konden kiezen uit twee kwaden: inflatie of werkloosheid. Hoe hoger de inflatie, des te lager de werkloosheid en *vice versa*. Sinds de jaren zeventig zijn economen het er echter over eens dat deze afweging alleen op korte termijn bestaat. Door de inflatie te verhogen, kan een land tijdelijk zijn werkloosheid verlagen. Echter, na verloop van tijd zakt de werkloosheid terug naar haar oude niveau, terwijl de inflatie wel op het nieuwe, hogere niveau blijft. Op lange termijn is er dus geen politieke keuze en dus ook geen reden om het parlement daarvoor bijeen te roepen.

Op lange termijn mag de werkloosheid dan wel niet van de inflatie afhangen, op de korte termijn wel. Voor de korte termijn valt er dus wel degelijk iets te kiezen, zou je denken. Ook dat is onjuist. Politici hebben een korte beslishorizon. Zij zijn hun politieke leven slechts zeker tot de volgende verkiezingen. Het kortetermijnvoordeel van een verdere verhoging van de inflatie – meer banen voor werkloze kiezers – geeft in de politieke besluitvorming dan al gauw de doorslag. Op termijn van een jaar of vier is dat voordeel echter gesmolten als sneeuw voor de zon, terwijl de hogere inflatie blijft. Een beetje inflatie kan niet zoveel kwaad, maar een steeds verder oplopende inflatie des te meer. Dus liever maar geen politici aan de knoppen van het monetaire beleid. Als het niveau van de inflatie op lange termijn toch niet uitmaakt voor de werkloosheid, dan kan de politiek de centrale bankiers maar beter een zeer eenvoudige beleidsregel meegeven: houd de inflatie constant op een bepaald niveau. Die regel is democratisch gelegitimeerd, de toepassing daarvan kan beter aan technocraten worden overgelaten. Ze hoeven zich daar niet of nauwelijks tegenover democratisch gekozen organen voor te verantwoorden.

In de praktijk doen centrale banken meer dan alleen de rente vaststellen. Ze zijn in de meeste landen ook betrokken bij het toezicht op financiële instellingen: banken, verzekeraars en pensioenfondsen. Daar is de onafhankelijkheid van de centrale bank veel problematischer dan bij het monetaire beleid. Een bank failliet laten gaan treft aandeelhouders en schuldeisers direct in hun portemonnee. Maar dat geldt ook als die bank niet failliet gaat, maar juist gered wordt. In dat geval betaalt de belastingbetaler de rekening. Naarmate de legitimatie voor de volstrekte onafhankelijkheid fragieler wordt, nemen onvermijdelijk ook de pogingen tot politieke beïnvloeding toe.

Wat geldt voor het toezicht op de financiële instellingen, geldt nog sterker voor begrotingsbeleid. Dit beleid bepaalt de verdeling van lasten en lusten binnen een generatie – wie betaalt hoeveel belasting – en tussen generaties – al of niet de overheidsschuld laten oplopen ten koste van toekomstige generaties. Deze beslissingen vereisen democratische legitimatie. Naarmate de ECB meer bevoegdheden neemt bij het begrotingsbeleid, neemt onvermijdelijk de politieke druk op de ECB toe. Dat leidt tot een ondermijning van haar politieke onafhankelijkheid, is het niet vandaag, dan toch in ieder geval na verloop van tijd als nieuwe leden van de raad van bestuur benoemd moeten worden. Dit is waarschijnlijk de voornaamste overweging die Stark heeft bewogen ontslag te nemen.

De kosten van een Grieks bankroet

Een Grieks bankroet is bijna onvermijdelijk. Dit valt ook op te maken uit de figuur hiernaast waarin de rente die op de kapitaalmarkt wordt gevraagd voor staatsobligaties met verschillende looptijden, staat weergegeven. Een Griekse obligatie met een looptijd van twee jaar heeft een rentepercentage van zestig procent. Trek daar twee à drie procent normale rente van af, dan resteert het verwachte verlies op een Griekse staatsobligatie. De rente voor langere looptijden is lager, omdat dan het verliesrisico over meer jaren wordt gespreid. De kapitaalmarkt verwacht grofweg dat op Griekse obligaties binnen twee jaar meer dan vijftig procent van de waarde moet worden afgeboekt. De geruststellende boodschap van dit plaatje is dat het beeld voor de andere landen veel gunstiger is, zelfs voor Portugal, en zeker voor Spanje en Italië.

Rentecurve voor de perifere eurolanden laat zien dat de kapitaalmarkt een bankroet van Griekenland verwacht binnen twee jaar

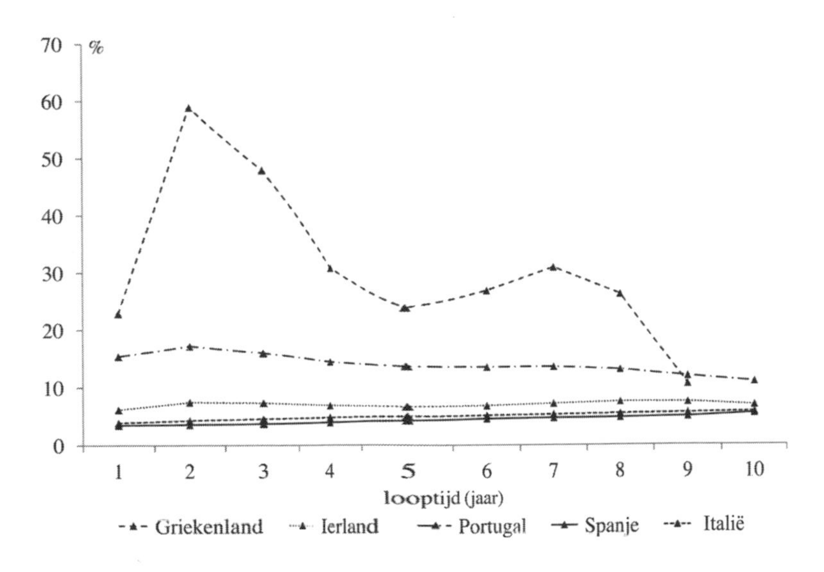

Vergeleken met het beeld van begin 2011 is het herstel van Ierland verbijsterend. Ierland is zeer zwaar door de bankencrisis getroffen. Als dit land nog even op deze weg doorgaat, dan heeft het de crisis binnen een jaar achter zich gelaten. Het beeld dat uit de figuur naar voren komt, sluit goed aan bij de conclusies van een nuchtere analyse van de stand van zaken in de diverse perifere landen. Spanje en Italië moeten in staat zijn om met een beetje liquiditeitssteun hun schulden af te betalen.

Wat zijn de kosten van een Grieks bankroet voor de rest van Europa? De totale Griekse overheidsschuld bedroeg aan het begin van 2011 ruim 340 miljard euro. De directe schade zal echter een stuk lager uitvallen vanwege twee redenen. Ten eerste wordt de totale schuld nooit volledig afgeschreven. Ten tweede heeft een groot deel van de huidige bezitters van Griekse schuld deze met korting op de markt gekocht. Dat geldt ook voor de ECB. Daarbij houden sommige banken al expliciet rekening met grotere verliezen: de Royal Bank of Scotland (RBS) heeft bijvoorbeeld al vijftig procent van de waarde van de Griekse obligaties afgeboekt. RBS hoeft dus geen nieuwe verliezen te melden zolang de Griekse schuld met vijftig procent of minder wordt afgewaardeerd. Een realistische inschatting van het totale 'nieuwe' directe verlies is daarom een stuk lager dan 170 miljard euro. Dat is een groot bedrag, maar ter vergelijking: als gevolg van de voortdurende onrust en onzekerheid verloren de aandelenbeurzen wereldwijd alleen in de maand augustus 2011 ruim 2.000 miljard euro aan marktwaarde.

Waar komen die verliezen terecht? Volgens het statistisch bureau Eurostat was in 2011 veertig miljard euro van de Griekse staatsschuld in Griekse handen. Als de helft moet worden afgeschreven, betekent dit een verlies van twintig miljard euro voor de Griekse banken. Door een bankroet van de Griekse overheid zal het hele Griekse bankwezen moeten worden genationaliseerd. Het failliet van de gehele Griekse financiële sector zal de economische vooruitzichten van Griekenland verder verslechteren.

Franse banken hebben gezamenlijk ongeveer 40 miljard euro uitgeleend aan Griekenland, waarvan 10 miljard euro in overheidsschuld. De Nederlandse banken hebben gezamenlijk 3,5 miljard euro aan Griekenland uitgeleend, Nederlandse verzekeraars en pensioenfondsen 1,3 miljard. Enkele individuele banken kunnen in de problemen komen, maar zolang een Grieks bankroet ordelijk en voorspelbaar verloopt, lijken de banken de klap wel op te kunnen vangen. De aanwezigheid van tal van complexe financiële producten (opties, verzekeringen tegen wanbetaling) die zijn gekoppeld aan de Griekse staatsschuld, vergroot de totale verliezen bij een bankroet niet: het verlies van de één is hier de winst van de ander. Wel kan het de onzekerheid sterk vergroten, omdat onduidelijk is waar de verliezen terechtkomen.

De ECB is op twee manieren direct gevoelig voor een Grieks bankroet. Allereerst heeft de ECB geld uitgeleend aan Griekse banken tegen onderpand. Bij een bankroet gaan de Griekse banken failliet, zodat de ECB moet hopen nog iets van zijn geld terug te krijgen via het onderpand, dat hoofdzakelijk uit Griekse staatsobligaties bestaat. De ECB heeft in 2011 90 miljard euro uitgeleend tegen een onderpand met nominale waarde van 140 miljard euro. Als het onderpand tegen vijftig procent wordt gewaardeerd en Griekse banken niets kunnen terugbetalen, dan is het verlies van de ECB 20 miljard euro. Daarnaast heeft de ECB ook voor eigen rekening Griekse obligaties opgekocht. Officiële cijfers worden niet gegeven, maar JP Morgan schat in dat het gaat om obligaties met een nominale waarde van ongeveer 50 miljard euro, gekocht tegen een marktprijs van ongeveer 40 miljard euro. Het totale verlies van de ECB bij een Grieks bankroet en een afwaardering van de schuld met vijftig procent, komt dan uit op 35 miljard euro. Nederland deelt via De Nederlandsche Bank (DNB) voor bijna zes procent mee in dit verlies van de ECB, wat neerkomt op twee miljard euro. Het is overigens niet zeker dat de ECB zal worden betrokken in de herstructurering van de Griekse schuld. Voor dit soort situaties zijn geen officiële regels of draaiboeken, maar het kan zijn dat de ECB wordt ontzien omdat de leningen zijn verstrekt of opgekocht als een vorm van noodsteun. De ECB deelt ook niet mee in de herstructurering die op 21 juli 2011 is overeengekomen.

Ten slotte het steunpakket voor Griekenland ter grootte van 110 miljard. Dit bestond voor 80 miljard euro uit leningen van de eurolanden en 30 miljard van het IMF. Tot nu toe heeft Griekenland 65 miljard euro ontvangen, het Nederlandse aandeel hierin is 2,8 miljard euro. Wanneer ook op deze officiële leningen de helft wordt afgeschreven, is het Nederlandse verlies dus 1,5 miljard euro. Ook hier kan het echter zijn dat de leningen van de eurolanden worden ontzien. Het IMF krijgt bij bijna alle herstructureringen al zijn geld terug. Alleen voor de zeer arme landen wordt soms een uitzondering gemaakt. Ook in het geval van Griekenland is het goed mogelijk dat de eurolanden en het IMF al hun geld terugkrijgen, aangezien Griekenland ook in de toekomst goede relaties met deze partijen nodig heeft.

De no-bailout clausule en het verzet tegen herstructurering

De herstructurering van de Griekse schuld heeft heftig verzet opgeroepen, met name in kringen van centrale bankiers. Dat verzet is opmerkelijk omdat een herstructurering van de Griekse schuld ten laste van de private schuldeisers de logische consequentie is van de no-bailout clausule. Die clausule maakt immers expliciet dat de lidstaten van de EMU niet verantwoordelijk zijn voor elkaars schulden. Als de bewakers van de spelregels van de EMU het niet eens zijn met die regels, dan kan men niet verwachten dat die spelregels ook daadwerkelijk gehandhaafd zullen worden. Als financiële markten verwachten dat de regels in geval van crisis niet zullen worden gehandhaafd, dan zullen ze zich daarnaar gedragen. Zo hebben we in hoofdstuk 4 gezien dat de risicopremie op leningen aan de perifere eurolanden tussen 2000 en 2007 tot nagenoeg nul was teruggevallen. De kapitaalmarkt ging er mogelijk van uit dat de no-bailout clausule niet gehandhaafd zou worden. Daarom is het verzet van met name centrale bankiers ook van groot belang voor de toekomst van de EMU. Waarom verzetten centrale bankiers zich?

Een eerste argument is dat een bankroet van een lidstaat een smet is op de EMU. Waarom dat zo zou zijn, is niet helemaal duidelijk. Zoals we in hoofdstuk 5 hebben gezien, brengt de kapitaalmarkt in de VS aan individuele staten wel gewoon een risicopremie in rekening, zonder dat dit de reputatie van de dollar in gevaar brengt. Waarom zou dat in de EMU dan niet kunnen?

Een tweede argument weegt vermoedelijk zwaarder: de angst voor besmetting. Besmetting kan lopen via de financiële sector. Na de ondergang van Lehman Brothers in het najaar van 2008 viel de interbancaire kredietverlening nagenoeg stil, omdat banken elkaar niet meer vertrouwden. Zou dat nu weer kunnen gebeuren? Dankzij openbare stresstests weten banken nu meer van elkaar. Ook toezichthouders en centrale banken zijn nu waarschijnlijk beter geïnformeerd en beter voorbereid dan in 2008. De instrumenten van de centrale bank en overheden om liquiditeitssteun te verlenen zijn uitgebreid in de praktijk getest. Bovendien: als dat niet zo zou zijn, dan hebben toezichthouders in de afgelopen drie jaar hun werk niet goed gedaan. Het belangrijkste probleem is eigenlijk dat banken in Europa nog onvoldoende voortgang hebben gemaakt met herkapitalisatie. Zoals in hoofdstuk 4 is besproken, moet het toezicht er juist op gericht zijn dat het bankwezen eventuele verliezen zelf kan dragen, zodat de belastingbetaler daar niet voor hoeft op te draaien.

Ten derde, behalve besmetting van banken, kan een Grieks bankroet ook leiden tot een besmetting van de andere perifere eurolanden. Zoals we hebben gezien heeft die besmetting zich in de loop van 2010 en 2011 ook daadwerkelijk voorgedaan. Dat is precies de moeilijkheid van dit argument. Hoewel beleidsmakers de afgelopen twee jaar met man en macht een Grieks faillissement hebben trachten te voorkomen, heeft die besmetting zich toch voorgedaan. Afgaande op de zware kortingen waartegen Griekse obligaties met een looptijd van twee jaar worden verhandeld, zie de eerder besproken figuur, zijn de financiële markten overtuigd van een Grieks bankroet. Het uitstel van een beslissing daarover heeft waarschijnlijk de onzekerheid eerder vergroot en daardoor het vertrouwen van financiële markten in Italië en Spanje verder ondermijnd. Je kunt dus even goed volhouden dat juist dit uitstel tot de besmetting heeft geleid.

Dit brengt ons bij het vierde en misschien meest zwaarwegende argument van centrale bankiers (en andere beleidsmakers). De staatsschuld van Griekenland, Portugal en Ierland is klein vergeleken met die van Italië en Spanje. Een bankroet van Griekenland vraagt in de huidige onzekere marktomstandigheden van de regeringsleiders onmiddellijk een uitspraak over de aanpak van de andere perifere eurolanden. Hoewel Italië en Spanje op zichzelf genomen zonder meer solvabel zijn en dus hun staatsschuld probleemloos moeten kunnen afbetalen, hebben beide landen op dit moment wel een liquiditeitsprobleem. Een bankroet van Griekenland vergt dus een uitspraak van de andere EMU-landen dat zij Italië en Spanje door deze liquiditeitscrisis heen zullen helpen. Gezien de omvang van de schuld van beide landen is die uitspraak niet van risico ontbloot. Vandaar dat men het Griekse probleem maar even voor zich uit heeft geschoven. Echter, zoals de gang van zaken in het afgelopen jaar heeft laten zien, heeft die aanpak niet kunnen voorkomen dat de overige EMU-landen daar nu duidelijkheid over zullen moeten geven.

De enige manier om een bankroet van Griekenland te voorkomen, is door hulp van de andere landen: een bailout dus. Het is dus kiezen of delen: of de no-bailout clausule opgeven of Griekenland bankroet laten gaan. Verzet tegen bankroet betekent opgeven van de no-bailout clausule – terwijl de ECB daar juist zo aan hecht. En dat is niet het enige slachtoffer van een bailout: ook de gewenste marktdiscipline krijgt dan een knauw.

Eurobonds

Hoe moet een structurele oplossing eruitzien? Aan ideeën is geen gebrek, maar niet alle gelanceerde plannen zijn even effectief of realistisch. Een veel genoemde oplossing is een of andere variant van 'eurobonds'. In dat geval geven individuele landen niet meer zélf leningen uit, maar wordt de schuld samengevoegd tot een Europese schuld, waarvoor alle landen gezamenlijk aansprakelijk zijn. Een kredietverstrekker heeft dan niet meer een claim op Italië of Griekenland, maar op 'Europa'. Volgens voorstanders is het een oplossing voor de huidige crisis. Met eurobonds verdwijnt immers per direct de druk op de Spaanse en Italiaanse rente. Er zijn dan namelijk geen Spaanse of Italiaanse staatsobligaties meer. Tegenstanders stellen dat het los van alle andere bezwaren sowieso ondenkbaar is om in de huidige crisissfeer een dergelijke institutionele wijziging door te voeren. Zij zien eurobonds daarom hooguit als langetermijnoplossing.

In de meest eenvoudige vorm verzwakken eurobonds juist de prikkel om goed beleid te voeren. Landen zijn immers verzekerd van toegang tot de markt en hoeven niet te vrezen voor de repercussies van slecht beleid. Dat maakt het verleidelijk om noodzakelijke maatregelen nog net even wat langer uit te stellen. Verschillende varianten van eurobonds-voorstellen proberen dit bezwaar te adresseren. Onder het 'blue bond red bond'-voorstel van de Brusselse denktank Bruegel, mogen landen niet alle schuld als eurobond uitgeven, maar alleen tot bijvoorbeeld een maximum van zestig procent van het nationaal inkomen – dit deel heet dan 'blue bonds'. Als landen nog meer schuld maken, moeten ze die voor eigen rekening en risico uitgeven. Dit resterende deel van de schuld heet 'red bonds'. Het idee is dat de rente op de 'red bonds' wél wordt beïnvloed door de gezondheid van de overheidsfinanciën in het desbetreffende land. Op die manier gebruik je marktdiscipline om landen te disciplineren. Maar wat als die marktdiscipline niet werkt? Dit voorstel heeft ook een geloofwaardigheidsprobleem. Als een groot land als Italië flink wat eigen schuld ('red bonds') houdt en de rentes plotseling stijgen, dan kan gemakkelijk een situatie ontstaan waarin de andere EMU-landen alsnog te hulp moeten komen, omdat faillissement te veel schade zou opleveren. Het plan lijkt daarom geen goede oplossing voor de actuele situatie. Het zou misschien wel kunnen werken op een moment dat markten tot rust zijn gekomen en landen hun schuld hebben teruggebracht tot rond de zestig procent.

Een alternatief plan van Rabobank-econoom Wim Boonstra voorkomt verkeerde prikkels door per land een opslag te berekenen op basis van de hoogte van de schuld en het begrotingstekort. In dat geval worden landen dus wel gestraft voor onverantwoordelijk begrotingsbeleid, maar niet door de markt. Dit voorstel leunt volledig op geïnstitutionaliseerde strafmaatregelen en zou in theorie kunnen werken als die instituties voldoende geloofwaardig worden vormgegeven.

Vanuit Duitsland en Nederland wordt herhaaldelijk benadrukt dat eurobonds tot hogere rentekosten zullen leiden voor de gezonde landen. Of dat waar is, is moeilijk te zeggen. Het draait om de vraag of beleggers hun geld liever uitlenen aan 'Europa' dan aan Nederland. Het antwoord op die vraag hangt af van de institutionele en juridische vormgeving van eurobonds en van hun liquiditeitspremie (zie hoofdstuk 3). Bij een degelijke vormgeving zouden de rentelasten voor Nederland zelfs lager kunnen uitvallen. Er is geen reden waarom het eurogebied als geheel geen AAA kredietstatus zou kunnen krijgen.

Het noodfonds

Vooralsnog is de officiële oplossing het noodfonds EFSF/ESM, dat als *lender of last resort* kan opereren. Zolang de vergroting van het mandaat en de omvang van het noodfonds nog niet zijn geformaliseerd, neemt de ECB noodgedwongen de honneurs waar door obligaties van de perifere eurolanden op te kopen op de markt. Een structurele oplossing voor het noodfonds voorkomt het huidige doormodderen van de ene naar de andere noodoplossing. Hoe ziet zo'n structurele oplossing eruit?Een dergelijke oplossing moet aan vier eisen voldoen.

Ten eerste mag er geen *ad hoc* politieke besluitvorming nodig zijn om een land met acute liquiditeitsproblemen uit de brand te helpen. De politieke besluitvorming voor ieder individueel geval creëert namelijk onzekerheid op de financiële markten. Het tempo van politieke besluitvorming houdt geen gelijke tred met dat van de financiële markten. Die markten gaan tijdens het besluitvomingsproces speculeren op de vraag of er wel of niet steun komt en zo ja, wanneer en hoeveel. In het volgende hoofdstuk zien wij dat het Duitse Constitutionele Hof in Karlsruhe betrokkenheid van de Duitse politiek eist. Daardoor neemt de geloofwaardigheid van het noodfonds sterk af.

Ten tweede mag er geen twijfel bestaan over de beschikbare middelen. Het doel is immers om de financiële markten gerust te stellen. Als de pot met geld voldoende groot is, dan hoeft die pot naar alle waarschijnlijk nooit volledig te worden aangesproken. Hoe groot het noodfonds precies moet zijn, is onduidelijk. De figuur geeft inzicht in de herfinancieringsbehoefte van Spanje en Italië. Als het krediet van het noodfonds snel en onder voorwaarden van ingrijpende hervormingen wordt verstrekt, kan het werken. Thans zijn er echter twijfels of het wel groot genoeg is.

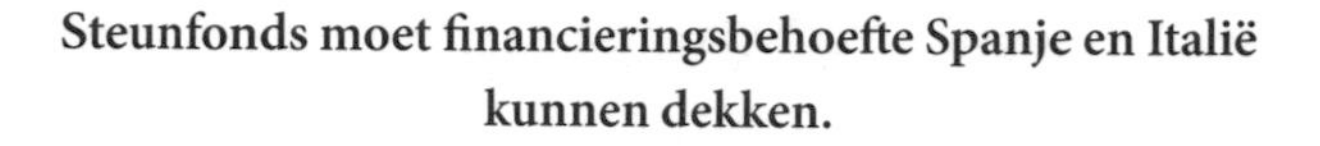

Steunfonds moet financieringsbehoefte Spanje en Italië kunnen dekken.

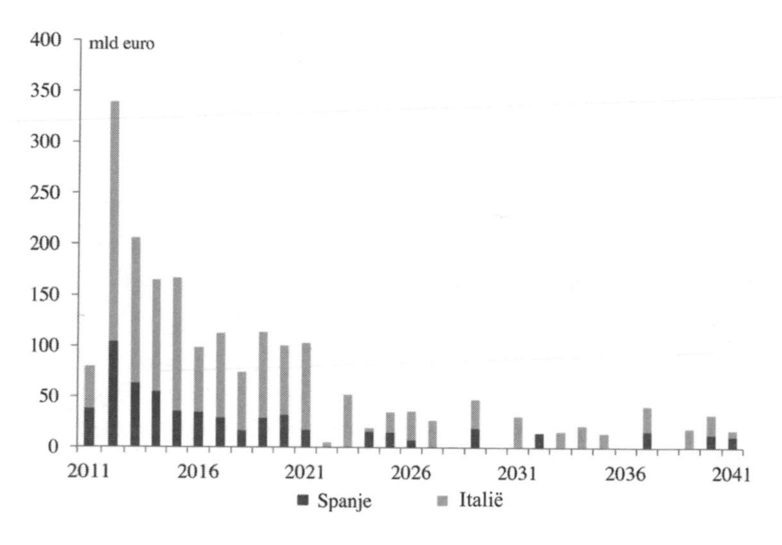

Een derde eis is dat een eventueel nieuw crisismechanisme bij individuele landen de prikkels voor het voeren van goed begrotingsbeleid versterkt en niet verzwakt. Ook hier is een probleem. Het noodfonds leunt namelijk volledig op disciplinering achteraf. In het sixpack van Van Rompuy dat besproken is in hoofdstuk 5, wordt weliswaar voorzien in permanent Europees begrotingstoezicht, maar de vraag is of dat gaat werken. Het idee van het noodfonds is dat landen zo bevreesd zijn voor de ingrepen die nodig zijn als zij er moeten aankloppen, dat ze genoeg prikkel hebben om te voorkomen dat ze dat ooit moeten doen. Als landen niet willen of kunnen voldoen aan de harde eisen van het noodfonds, dan is de ultieme sanctie dat landen hun heil moeten zoeken op de financiële markten of dat ze per omgaande hun begroting moeten sluiten. Die ultieme sanctie mist echter geloofwaardigheid. Landen als Italië en Spanje zijn '*too big to fail*'.

Ten vierde moet de gekozen oplossing politiek draagvlak hebben. Een blanco cheque voor landen die hun overheidsfinanciën niet op orde hebben, al of niet openlijk, is geen haalbare kaart. Dit is een probleem bij alle oplossingen die worden voorgesteld, van noodfonds tot eurobonds. Al die oplossingen vereisen overdracht van bevoegdheden. Daarvoor is bij de sterke eurolanden weinig enthousiasme. Zij vrezen dat de monetaire unie verwordt tot een 'transfer unie', waarbij de verantwoordelijke sterke eurolanden de perifere eurolanden permanent met financiële steun moeten bijstaan. Daarom heeft premier Mark Rutte zich herhaaldelijk uitgesproken tegen een verdere verhoging van het noodfonds. Daarom ook heeft een van de Slowaakse coalitiepartijen zich tegen het noodfonds verzet, waardoor de Slowaakse regering ten val kwam. Wat betreft deze vierde eis heeft Duitsland als grootste lidstaat de sleutel in handen. Zij dient immers het leeuwendeel van de kosten te betalen. De verhoudingen in Duitsland zijn daarom het onderwerp van het volgende hoofdstuk.

Verder lezen

Jacques Depla en Jakob von Weizsäcker, 2010, 'The blue bond proposal', http://www.bruegel.org/publications/publication-detail/publication/403-the-blue-bond-proposal/.
Veelbesproken voorstel om eurobonds in te voeren in de vorm van blue bonds en red bonds.

Federico Sturzenegger en Jeromin Zettelmeyer, 2005, 'Haircuts: Estimating Investor Losses in Sovereign Debt Restructurings 1998–2005', http://www.imf.org/external/pubs/ft/wp/2005/wp05137.pdf.

Empirisch onderzoek naar herstructurering van overheidsschuld in de periode 1998-2005.

Barry Eichengreen, Robert Feldman, Jeff Liebman, Jürgen von Hagen en Charles Wyplosz, 2011, 'Public Debts: Nuts, Bolts and Worries', http://www.voxeu.org/sites/default/files/file/Geneva13.pdf.
Een discussie over de overheidsschuld van Europa, de VS en Japan.

Voor meer achtergronden bij dit hoofdstuk en informatie over de onderwerpen, zie www.cpb.nl/publicatie/europa-in-crisis.

8
Duitsland: reus zonder richting

'We don't know what we want but we're happy to discuss it.'
THE ECONOMIST, GERMANY'S EURO QUESTION,
10 SEPTEMBER 2011, P.35

- Duitsland is de sleutel tot de oplossing van de eurocrisis, maar het land worstelt met tegenstrijdigheden.
- Eurolanden verzetten zich tegen overdracht van bevoegdheden. In Duitsland is de weerzin sterk.
- De kans is klein dat Duitsland uit de euro stapt.
- Duitsland is voorstander van een onafhankelijke ECB, maar haar onwil om andere Europese instanties bevoegdheden te geven is een bedreiging voor die onafhankelijkheid.

Hoe voelt een acht jaar oude jongen zich die een prachtig album met postzegels erft van zijn opa? De hemel te rijk. Maar wat maakt zodanige indruk dat het bijna vijftig jaar later nog voor de geest staat als dat album al lang weer is doorgegeven in de familie? Een postzegel uit Duitsland met een oorspronkelijke waarde van vijfhonderd mark – op zich al ongekend hoog – en een overdruk daarop van twee miljoen mark. Die postzegel werd voor het eerst uitgegeven op 9 oktober 1923, bijna op het hoogtepunt van de Duitse hyperinflatie in de periode 1919-1923. De waarde van Duitse postzegels liep op tot vijftig miljard mark op 22 november 1923, vlak voor het moment dat een geldzuivering een einde maakte aan de hyperinflatie.

In die vier jaar was de Duitse economie totaal ontwricht en waren vele Duitsers geruïneerd. De oorzaak van de gierende geldontwaarding was dat de Duitse regering steeds meer geld drukte om de kosten te financieren van de gevolgen van de Eerste Wereldoorlog en de herstelbetalingen aan andere landen. Daardoor liepen de prijzen tot ongekende hoogte op. Spaarders waren de eerste slachtoffers. In niet al te lange tijd was al hun spaargeld waardeloos, waar ze vaak als oudedagsvoorziening hun hele leven voor hadden gewerkt. Toen in 1923 de prijzen elke twee dagen verdubbelden, verloren lonen hun waarde voordat iemand ze kon uitgeven. Voor honderd dollar kocht een willekeurige buitenlander rijen huizen aan de Kurfürstendamm in Berlijn. Niet lang na de periode van hyperinflatie kwam de armoede van de Grote Depressie en de opkomst van het Nazisme.

Deze ervaringen leven nog sterk in Duitsland en bepalen mede hoe Duitsers tegen de samenleving en de economie aankijken en hoe ze deze na de Tweede Wereldoorlog georganiseerd hebben. Die visie en organisatie maken het Duitsland echter niet gemakkelijk een oplossing te vinden voor de Europese schuldencrisis. In dit hoofdstuk zien we dat Duitse instituties en voorkeuren soms lessen opleveren voor Europa, maar ook aanleiding geven tot diverse tegenstrijdigheden in de aanpak van de Europese crisis.

Duitsland heeft zijn sociaaleconomische instituties na de Tweede Wereldoorlog vormgegeven in de vorm van een sociale markteconomie. Ten grondslag aan de sociale markteconomie ligt het denken in *Ordnungen*: de actoren in de samenleving hebben elk een geordende plaats in de institutionele ruimte. Vakbonden en werkgeversorganisaties hebben bijvoorbeeld een autonome rol in loononderhandelingen zonder overheidsbemoeienis, de zogenaamde *Tarifautonomie*. Voor een goed begrip van de Duitse opstelling in de eurocrisis moeten we eerst even kort stil staan bij vier pijlers van de sociale markteconomie: democratie, de rol van de markt, prijsstabiliteit en sociale zekerheid.

Democratie is de eerste pijler van de Duitse sociale markteconomie. Alle politieke beslissingen dienen voort te komen uit democratische processen. Bovendien behoren sterke instituties zowel de burger als de markt te beschermen tegen machtsmisbruik door de overheid. Daarom kunnen burgers de rechtmatigheid van beleid toetsen bij de rechtbank. Het bekendst is het Constitutionele Hof in Karlsruhe waar burgers regelmatig aanhangig maken of een bepaald beleidsvoornemen wel in overeenstemming is met de grondwet. In zijn uitspraken benadrukt het Hof vaak de democratische legitimiteit en versterkt zo de rol van het parlement. Door deze rol van de rechtbank heeft het economische debat in Duitsland veel meer een juridisch karakter dan in Nederland. Een andere waarborg tegen te veel concentratie van macht bij de overheid vormt het federale systeem. In tegenstelling tot de VS heeft Duitsland een federaal systeem waarin de federatie en de deelstaten macht delen, in plaats van verdelen. In veel gevallen hebben zowel de federatie als de deelstaten iets te zeggen over beleid. Dat vermindert de kans op machtsconcentraties binnen de overheid, maar beperkt ook de slagvaardigheid van beleid.

De markt is een tweede pijler. Deze pijler omvat het liberalisme in de sociale markteconomie. De vrije markt stimuleert individuele vrijheid en zelfontplooiing. Belangengroepen, machtsconcentraties van marktpartijen of ongewenste gevolgen van de markt, zoals milieuvervuiling, mogen dan niet de overhand krijgen. Dus gaat het er om de markt in te bedden in regels en zijn werk te laten doen zonder *ad hoc* interventies door de overheid. Daar komt een sterke mededingingsautoriteit bij die de concurrentie bewaakt.

Prijsstabiliteit is een derde pijler. Daarom heeft Duitsland een onafhankelijke centrale bank nodig, die niet ten prooi kan vallen aan politici die maar geld blijven bijdrukken. De Bundesbank is altijd het voorbeeld van prijsstabiliteit geweest in Europa. De Duitsers hebben vanaf de eerste gedachten over een monetaire unie gepleit voor een onafhankelijke Europese Centrale Bank (ECB) met geen andere doelstelling dan beheersing van inflatie.

Als vierde pijler biedt sociale zekerheid een vangnet voor iedereen die tijdelijk of permanent niet kan meekomen op de arbeidsmarkt. Armoede en ontberingen tijdens de periode van hyperinflatie en de Grote Depressie hebben velen in Duitsland doordrongen van het belang van een vangnet en onderlinge solidariteit. Bovendien kan sociale zekerheid eraan bijdragen dat er geen extremistische politieke reactie volgt op een crisis.

Deze vier pijlers liggen voor een flink deel ten grondslag aan de worsteling van Duitse economen, beleidsmakers en politici met de Europese schuldencrisis. Ze leveren tegenstrijdigheden op in het denken over de noodzaak van verdere Europese integratie. Ze hebben geleid tot een Duits federaal stelsel met veel overdrachten tussen deelstaten, overdrachten waar veel Duitsers binnen Europa tegen zijn. Ze roepen angst op voor een verzwakte euro, maar waarborgen ook dat Duitsland niet snel uit de euro zal stappen. Ze leggen het Duitse schip van staat vast met een stevig juridisch anker, maar beperken zo een slagvaardige oplossing voor de crisis. Ze benadrukken een onafhankelijke ECB, maar zorgen er voor dat de ECB weinig anders kan doen dan het opkopen van schuld van probleemlanden.

Politieke integratie gaat vooraf aan monetaire integratie

Wanneer zou je een monetaire unie moeten invoeren? Als kroon op het werk, volgens de Duitse economisten. Invoeren van een gemeenschappelijke munt is pas mogelijk na een proces van vergaande politieke integratie en met een stevig democratisch fundament, volgens de eerste pijler van de sociale markteconomie. Alleen dan slaagt een muntunie. Nee, als hoeksteen van een nieuw gebouw, volgens de veelal Franse monetaristen. De gemeenschappelijke munt vormt de impuls voor verdere stappen naar economische en politieke integratie. Al in 1949 stelde de Franse econoom Jacques Rueff: '*L'Europe sera par la monnaie ou ne sera pas*' (Europa zal er zijn via de munt of zal er niet zijn). Met een onafhankelijke ECB, het Stabiliteitspact en de *no-bailout* clausule in het Verdrag van Maastricht hebben de initiatiefnemers getracht voldoende waarborgen voor de stabiliteit van de euro te creëren in aansluiting op de eerste en tweede pijler van de sociale markteconomie. Echter, in de ogen van de Duitsers wonnen de monetaristen: de euro is veel meer op de hoeksteentheorie gebaseerd dan op de bekroningstheorie.

Het belang van politieke integratie klinkt ook sterk door in de Duitse discussie over de Europese schuldencrisis. Otmar Issing, die als hoofdeconoom en lid van de directie van de ECB aan de wieg stond van de euro, heeft daarop steeds gehamerd. In de *Financial Times* van 8 augustus 2011 neemt Issing scherp stelling tegen het idee dat de hulpmaatregelen voor Griekenland een stap in de richting van een politieke unie vormen. Een politieke unie vereist een grondwet en een Europese regering, gecontroleerd door een Europees parlement, gekozen volgens democratische principes. Die regering zou een eigen budget kunnen krijgen en eigen belastingmiddelen. Wat nu aan de gang is in Europa heeft volgens Issing echter niets van doen met een politieke unie, want aan de eis van democratische legitimiteit is geheel niet voldaan. De eerste pijler van de sociale markteconomie bepaalt dus ook de houding van Duitsers tegenover de eurocrisis.

Het tegenstrijdige is dat tegelijkertijd veel Duitsers verdere Europese politieke en budgettaire integratie verwerpen. Ongetwijfeld speelt daarbij een rol dat verlies van autonomie wel eens heel duur zou kunnen worden voor Duitsland. Als een Europese instantie besluit zwakkere lidstaten te steunen, krijgt Duitsland een flink deel van de rekening. Aangewakkerd door voorbeelden van niet al te zorgvuldig omgaan met publieke middelen in sommige zuidelijke lidstaten, keren kiezers in Duitsland en verwante landen zich tegen verdere integratie in de Europese Unie (EU). Verdere integratie alleen binnen het eurogebied ligt nog moeilijker voor Duitsland. Wolfgang Proissl, redacteur van de *Financial Times Deutschland*, stelt dat de Eurogroep een nachtmerrie van coalities oplevert voor de Duitse bondskanselier. In de Eurogroep heeft Duitsland een minderheidspositie als het gaat over budgettaire zorgvuldigheid en beheersing van Europese uitgaven. Op dit gebied, vooral gesteund door Nederland, Finland en Oostenrijk, staat het land tegenover een gesloten front van Zuid-Europese landen, vaak geleid door Frankrijk. Veel natuurlijke bondgenoten van Duitsland – Scandinavische landen, het VK, Midden-Europese landen – maken geen deel uit van de eurolanden.

Maar er is nog een dieper liggende reden waarom de Duitsers budgettaire integratie in Europa geen goed idee vinden. De vooraanstaande Duitse econoom Martin Hellwig, directeur van het *Max-Planck-Institut zur Erforschung von Gemeinschaftsgütern* (Max Planck Instituut voor onderzoek naar collectieve goederen), geeft die diepere reden: voorkeuren in lidstaten verschillen te veel. Daarom kunnen overheden van de lidstaten van de EU het best onafhankelijk van elkaar hun begrotingsbeleid uitvoeren. Europese landen kijken anders aan tegen begrotingsbeleid, tegen de rol van de staat en in het verlengde daarvan tegen de vraag hoeveel burgers over hebben voor de staat. Oriëntatie op de markt speelt een belangrijke rol in het VK, de Franse staat voert een vergaande centrale sturing van de economie, de Duitse regering ordent de markt, burgers in sommige zuidelijke landen – vooral Griekenland – hebben een forse weerzin tegen de staat en willen daar ook niet voor betalen. Daar komt bij dat politieke discussies bijna altijd gaan over nationale kwesties, waarbij Europa meestal als stoorzender wordt gezien.

Deze analyse past bij wat in het denken over besturing subsidiariteit heet. Dat gaat over de vraag wat het goede niveau is van besluitvorming: regionaal, nationaal of supranationaal? Het antwoord op die vraag hangt af van de afweging tussen tegemoetkomen aan lokale voorkeuren en samenwerken op centraal niveau. Decentralisatie is geboden als burgers in afzonderlijke regio's sterk verschillende voorkeuren hebben. Lokale bestuurders kunnen hun beleid dan laten aansluiten bij die voorkeuren. Daartegenover maakt centralisatie het mogelijk om te profiteren van gemeenschappelijke actie, de zogenaamde schaalvoordelen. Centralisatie biedt ook een oplossing wanneer beleid in de ene regio invloed op de andere heeft, terwijl lokale beleidsmakers geen rekening met elkaar houden, de zogenaamde externe effecten van beleid.

Grensoverschrijdende invloed van beleid is bij de eurocrisis natuurlijk zeker aan de orde. Hoofdstuk 4 liet zien dat nationaal bankentoezicht ontoereikend is om de gevolgen van een crisis in het nationale bankwezen op andere landen te voorkomen. Een ander negatief extern effect is de besmetting van de nationale obligatiemarkten. Omdat het in Griekenland financieel-economisch slecht gaat, zien beleggers ook problemen in andere landen waardoor de rente op staatsobligaties daar flink omhoog gaat.

Toch zijn volgens Hellwig de verschillen in voorkeuren tussen lidstaten doorslaggevend. Hij kiest daarom duidelijk voor decentralisatie van begrotingsbeleid in Europa. Daar horen geloofwaardige waarborgen bij dat landen geen beleid voeren waarmee ze andere landen in problemen brengen en dat banken uit het ene land geen destabiliserende werking hebben op banken en overheden in andere landen. Voorbeelden daarvan zijn: bepalingen in de grondwet dat schulden niet te ver mogen oplopen, onafhankelijk nationaal bankentoezicht en sterker Europees toezicht op grensoverschrijdende activiteiten van banken. In subsidiariteitstaal beoogt Hellwig tegemoet te komen aan de sterke verschillen in voorkeuren voor begrotingsbeleid tussen lidstaten door de externe effecten te beperken en door te centraliseren in het bankentoezicht.

Hier ontstaat de tegenstrijdigheid. Duitse economen stellen dat politieke en budgettaire integratie gewenst is in het eurogebied vanuit de eerste pijler van de sociale markteconomie. Ze verwerpen integratie echter vanuit het subsidiariteitsbeginsel.

Er is een redenering denkbaar die de tegenstrijdigheid oplost. Als iemand tegen verdere integratie is, dan kan onvoldoende democratische legitimiteit – waarvan duidelijk is dat die er toch niet gaat komen – een argument zijn om integratie buiten de deur te houden. De beroemde stok om de hond te slaan. Alleen is dat wel een wat cynische interpretatie, die niet al te best aansluit bij de consequente manier waarop Duitsers het democratische fundament van de Europese instituties benadrukt hebben.

Transferrepublik is tegen Transferunion

Veel Duitse economen huldigen het principe dat kapitaalmarkten en duidelijke regels landen moeten disciplineren om hun financiën op orde te houden of te brengen. Als een land zelf de gevolgen ondervindt van onverantwoord financieel gedrag, geeft dat de maximale stimulans om daar ook zelf iets aan te doen. Anders glijdt het eurogebied naar de afgrond van de niet-democratisch gelegitimeerde *Transferunion*, waarin rijke landen betalen voor arme landen.

Jens Weidmann, president van de Bundesbank deed in augustus 2011 veel stof opwaaien met zijn onverbloemde stellingname voor dit principe. In het Maandbericht van de bank veegde hij de vloer aan met het besluit van de staatshoofden van de eurolanden op 21 juli 2011 om het hulppakket voor Griekenland, Portugal en Ierland uit te breiden. Door deze uitbreiding nam de European Financial Stability Facility (EFSF) toe van 440 naar 780 miljard euro en steeg het aandeel van Duitsland in de financiële garanties van 123 miljard tot 211 miljard euro, zoals de figuur laat zien. Weidmann schreef dat Europa hiermee een grote stap zette in de richting van gemeenschappelijke aansprakelijkheid voor nationale overheidsschulden en geringere disciplinering door de kapitaalmarkten, zonder dat de controle en mogelijkheden tot beïnvloeding van nationaal begrotingsbeleid zichtbaar versterkt werden. Hij vond het bijzonder ernstig dat stimulansen voor verantwoordelijk gedrag door de schuldenlanden duidelijk verzwakt werden. Als deze besluiten ook zouden doorwerken in het European Stability Mechanism (ESM), vanaf 2013 de beoogde opvolger van de EFSF, blijven die zwakke prikkels om orde op zaken te stellen bovendien bestaan. Belangrijke grondbeginselen zouden hierdoor duidelijk verzwakt worden.

Weidmann krijgt steun van gerenommeerde Duitse economen, zoals Hans Werner Sinn, directeur van het CESifo-Instituut. Sinn zet zich af tegen de uitbreiding van het Europese reddingsfonds. De randvoorwaarden worden steeds soepeler, vreest hij. Na de uitbreiding kan de EFSF ook ingezet worden als rentes op overheidsobligaties van de perifere eurolanden

Garantieverplichtingen in de EFSF (miljarden euro)

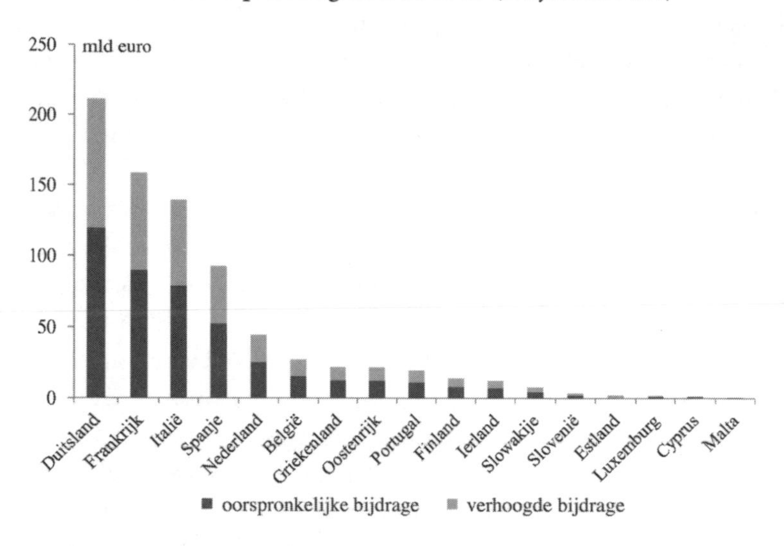

oplopen. Het Internationaal Monetair Fonds (IMF) hoeft niet meer mee te helpen bij steunverlening. De besluiten van 21 juli 'plaveien de weg naar het schuldensocialisme', aldus Sinn.

De enige grens ligt nog bij de omvang van de EFSF. Sinn stelt dat de EFSF nooit groot genoeg mag zijn om Italië en Spanje te kunnen redden. Samen met Griekenland, Ierland en Portugal hebben Spanje en Italië 3.100 miljard euro aan staatsschuld uitstaan. Dat is twee keer zo veel als de Duitse hereniging heeft gekost. De schulden van deze landen zijn zo groot dat een garantiestelsel dat hen omvat, de kredietwaardigheid van landen als Duitsland aantast. Daarom moet de EFSF een beperkte omvang houden en niet worden uitgebreid. Landen hebben de prikkel van oplopende rentes op hun overheidsschuld nodig om zich verantwoordelijk te gedragen. Sinn neemt geen blad voor de mond. Hij zegt dat regeringleiders lachen om Brussel en om de grenzen op de overheidsschuld uit het Stabiliteitspact, maar de markten serieus nemen.

Ook Issing schaart zich achter dit standpunt. Volgens hem is het hulppakket van 21 juli 2011 een gevaarlijke stap die de opsplitsing van Europa tot gevolg heeft. Het beloont gebrek aan budgettaire discipline en straft budgettaire soliditeit. Bovendien dient de ECB volledig onafhankelijk te zijn en zich niet met begrotingsbeleid bezig te houden. Issing, Sinn en Weidmann staan zij aan zij in hun verzet tegen Europese waarborgen voor individuele landen. De gang naar een Transferunion dient te allen tijde voorkomen te worden.

Opmerkelijk genoeg is Duitsland zelf wel een 'Transferrepublik'. De vierde pijler van de sociale markteconomie strekt zich niet alleen uit tot de sociale zekerheid, maar ook tot solidariteit tussen de Duitse deelstaten. De Duitse Grondwet voorziet in het instellen van gelijke leefomstandigheden overal in Duitsland. Daarom bestaat er een uitgebreid systeem van overdrachten tussen de centrale overheid en de deelstaten, en tussen de deelstaten onderling. Deelstaten hebben slechts in beperkte mate eigen belastinginkomsten. Ze ontvangen 70 procent van hun inkomsten uit overdrachten, twee keer zo veel als de staten in de VS. Alle deelstaten samen krijgen 42,5 procent van de opbrengsten van de inkomstenbelasting, 50 procent van de vennootschapsbelasting en 44 procent van de btw (cijfers voor 2009). De bedragen voor de inkomstenbelasting en voor de vennootschapsbelasting worden verdeeld over individuele lidstaten naar rato van het aandeel van de in die lidstaat verkregen belastinginkomsten. Bij de verdeling van de btw vindt gedeeltelijk herverdeling plaats over lidstaten, arme staten krijgen meer dan rijke. Daarbovenop komt een systeem van herverdeling van inkomsten over lidstaten. Door deze zogenaamde *Finanzausgleich* en de btw-verdeling heeft geen enkele deelstaat minder dan 95 procent van de gemiddelde budgettaire middelen per hoofd van de bevolking. In de praktijk zijn sommige deelstaten permanent ontvangers en andere deelstaten permanent betalers van deze overdrachten.

Deelstaten kunnen autonoom geld lenen op de kapitaalmarkt, de centrale overheid – de *Bund* – kan daar geen grenzen aan stellen. Deelstaten hebben wel vaak eigen wetten die restricties opleggen aan de hoeveelheid schuld die ze mogen aangaan. Meestal is dat de gouden regel, die zegt dat een deelstaat alleen leningen mag aangaan voor investeringsdoeleinden. Maar 'investeringen' is een ruim begrip, beleidsmakers kunnen veel zaken aanmerken als investeringen. Bovendien hebben deelstaten in het verleden vaak de investeringslimieten overschreden met de argumentatie dat er sprake was van een uitzonderlijke situatie.

In de jaren tachtig van de vorige eeuw liepen door excessief lenen de schulden van sommige deelstaten hoog op. En dat wat veel Duitsers in Europa niet willen, gebeurde in Duitsland wel. De federale overheid kwam deelstaten te hulp. In 1987 kregen Saarland en Bremen aanvullende overdrachten van de Bund om hun schulden te verminderen. Het Constitutionele Hof zette daar in 1992 nog eens een dikke streep onder door de Bund te verplichten dertig miljard mark extra over te maken naar Saarland en Bremen gedurende de jaren 1994 – 2000. Die dertig miljard mark hoefde niet te worden terugbetaald aan het Hof. Deze reddingsactie droeg niet echt bij aan verantwoordelijk budgettair gedrag door de deelstaten. Grote tekorten van de deelstaten, niet van de Bund, waren de belangrijkste oorzaak van de stijging van het financieringstekort in 2002, waardoor Duitsland de grenzen van het Stabiliteitspact overschreed en vervolgens het Stabiliteitspact buitenspel zette – in hoofdstuk 5 zagen we dat dit de facto de dood van het Stabiliteitspact inluidde.

Zie hier de paradox: de Transferrepubliek is dus een tegenstander van een Transferunie. De verklaring voor deze paradox ligt voor de hand. Het Duitse federale systeem zit gebonden aan zijn eigen wetten en regels die verankerd liggen in de grondwet.

Duitse economen zien dat voornamelijk als een voorbeeld van hoe het niet moet. Het ondermijnt budgettaire discipline. Bovendien werken overdrachten tussen rijke en arme regio's niet om arme regio's productiever te maken. Dat geldt niet alleen voor de *Finanzausgleich*, maar ook voor de hereniging met Oost-Duitsland die sinds de jaren negentig 1.500 miljard euro zou hebben gekost. Beide hebben niet geleid tot economische convergentie tussen regio's. Volgens Duitse economen halen overdrachten bij achterblijvende regio's de prikkel weg om zich in te spannen, het geld komt toch wel. En in de monetaire unie gebeurt dit ook nog eens zonder democratische legitimering. Samen met de natuurlijke neiging eerder voor landgenoten bij te willen springen dan voor buitenlanders, verklaart dit de weerstand tegen de Transferunion.

We verafschuwen de euro, maar willen hem ook niet kwijt

'Het gaat niet meer om oorlog of vrede maar om de vraag of Europa weer in afzonderlijke landen uiteenvalt.' Met die uitspraak zet Beatrice Weder di Mauro de toon in een interview in het Duitse *Handelsblatt* van 15 juli 2011. Weder di Mauro is een van de vijf leden van wat in prachtig Duits heet *der Sachverständigenrat zur Begutachtung der gesamtwirtschaftlichen Entwicklung*, ofwel 'de Raad van deskundigen ter beoordeling van de macro-economische ontwikkeling'. In 2004 benoemde het Duitse kabinet haar op 38-jarige leeftijd als eerste vrouw tot lid van dit prestigieuze adviescollege van de 'vijf wijzen'. Haar ervaring bij het IMF en de Wereldbank, haar specialisatie op internationale financiële markten, haar onderzoek naar de oorzaken van schuldencrises en haar internationale oriëntatie – ze spreekt zeven talen – zal de raad in dit tijdsgewricht zeker van pas komen.

Weder di Mauro pleit in dat interview voor herstructurering van de Griekse schuld. Griekenland is niet solvabel, het lukt nooit alle schulden terug te betalen. Dan is herstructurering het enig juiste antwoord, waarbij private crediteuren moeten meebetalen. Dat brengt banken in moeilijkheden die Griekse leningen in bezit hebben, vooral Griekse banken. Maar dat probleem is met een herkapitalisatie door het IMF en de EU op te lossen. Dit is geen goedkope oplossing. Maar niet ingrijpen vergroot de kosten in de toekomst alleen maar. Geleidelijke uitvoering van de herstructurering houdt druk op de Griekse regering om daadwerkelijk hervormingen door te voeren. In een later stadium kan (gedeeltelijke) herstructurering ook voor Portugal en Ierland nodig zijn. Spanje en Italië dienen hun bezuinigingsprogramma te verscherpen en kunnen indien nodig bij het IMF een flexibele kredietlijn aanvragen. Dat nieuwe instrument uit 2009 stelt voor een periode van een half of een heel jaar zonder voorwaarden ruime IMF-fondsen ter beschikking aan solvabele landen met een uitstekende reputatie. Op die manier beoogt het IMF liquiditeitsproblemen op te lossen.

En als ultieme sanctie Griekenland uit de euro zetten of het land zo onder druk zetten dat het 'vrijwillig' de euro verlaat? Raadslid Weder di Mauro ziet er niets in. De herinvoering van de drachme bedreigt niet alleen de solvabiliteit van het Griekse bankwezen, maar ook van bedrijven en particulieren met schulden. Schulden die oorspronkelijk in euro's luidden, worden onbetaalbaar na een met zekerheid te verwachten grote devaluatie van de drachme. Hoofdstuk 3 laat zien dat de kosten immens zijn, niet alleen voor Griekenland. En fundamenteler, een monetaire unie wordt inherent instabiel als landen er uitgezet kunnen worden. Markten gaan met die mogelijkheid rekening houden en vragen een risicopremie voor de onzekerheid die erdoor ontstaat. Dat verhoogt de kosten van financiering voor alle landen in de unie. En het kan tot zelfvervullende voorspellingen leiden, wanneer twijfels in de markt leiden tot oplopende rentes en crisis. Zeker in deze tijd van grote onzekerheden en spanningen is alleen al het opperen van de mogelijkheid tot het uitzetten van landen uit de unie ronduit gevaarlijk.

Is het omgekeerde dan voorstelbaar? Duitsland dat de eer aan zichzelf houdt en de euro verlaat. Slechts enkele Duitse economen propageren deze oplossing. Duitsland zou bijvoorbeeld met andere stabiele landen – Nederland, Oostenrijk, Finland – verder kunnen gaan in een kleinere muntunie. Het voordeel daarvan is dat Duitsland niet meer garant hoeft te staan voor zwakke landen en niet het risico loopt in een open einde Transferunion te worden gezogen.

De uittreedoptie is juridisch zeer ingewikkeld en vraagt veel tijd, zoals we in hoofdstuk 3 zagen. Voor een relatief snelle actie resteert alleen de 'nucleaire optie'. Duitsland is een soevereine staat en kan eenzijdig elk verdrag verwerpen dat in het verleden is getekend, ook het EU-verdrag. Daar kunnen de andere lidstaten niets tegen doen. Politiek leidt een eenzijdige uittreding tot isolement, economisch volgen wellicht handelssancties, maar andere landen moeten dit accepteren. Ze kunnen moeilijk Duitsland binnenvallen en het land bezetten.

De eenzijdige uittreding uit de Economische en Monetaire Unie (EMU) heeft grote negatieve gevolgen voor de Duitse export. Met het EU-verdrag valt ook de toegang tot de interne markt van de EU weg. De export krijgt verdere klappen van handelssancties en appreciatie van de nieuwe munt. Investeringen dalen door grotere onzekerheid en oplopende risicopremies in kapitaalmarkten. Dat kost (veel) arbeidsplaatsen en creëert sociale onrust.

Daarbij is het wel de vraag hoe eenzijdig dat uittreden zal zijn. De kans bestaat dat andere sterke eurolanden en EU-lidstaten

Duitsland zullen volgen. Hoe meer landen gemeenschappelijk uittreden, hoe kleiner de financiële gevolgen voor die landen onderling zijn. Ook de onderlinge handel lijdt naar verwachting weinig schade als de landen vanaf het begin de vrijhandelsovereenkomsten uit de Europese interne markt kopiëren.

De uittredende stabiele landen moeten elk eenmalig substantiële kosten maken om een nieuwe munt in te voeren. Door hun sterke concurrentiepositie zal hun nieuwe munt in waarde stijgen ten opzichte van de euro, die dan nog gebruikt wordt door de Zuid-Europese landen. Banken en pensioenfondsen in Duitsland met beleggingen in euro's, uitgegeven door de zuidelijke landen, maken waarschijnlijk stevige verliezen door de waardestijging van de nieuwe Duitse munt.

Daar blijft het mogelijk niet bij. Het is niet denkbeeldig dat de monetaire unie geheel uiteenvalt, doordat het uittreden van de sterke landen de overgebleven zuidelijke landen destabiliseert. Zodra het vertrek uit het eurogebied zich aftekent, stijgt het risico van een bankrun in de zuidelijke landen. Beleggers in de zuidelijke landen zullen hun bezittingen namelijk willen beschermen tegen de komende waardevermindering van de euro door hun geld over te brengen naar Duitsland. De rente op de staatsschuld van zuidelijke landen zal eveneens stevig oplopen. Als de crisis hard toeslaat, verliezen de beleggingen in zuidelijke landen nog meer waarde.

Uiteindelijk komt dan het spook van een diepe depressie uit de jaren dertig van de vorige eeuw weer tot leven en dan nog wel uitgelokt door Duitsland. Wie in Duitsland wil dit op zijn geweten hebben? Het risico dat Duitsland uit de EU stapt, lijkt dan ook niet groot. De enige situatie waarin dit zou kunnen gebeuren, is als langdurig en vergaand onverantwoordelijk budgettair gedrag van grote landen de kredietwaardigheid van Duitsland en de stabiliteit van de eurolanden diepgaand zou aantasten. Of als het politieke klimaat zo omslaat dat populistische anti-EU-partijen veel stemmen winnen en de overhand krijgen. Daar is tot nu toe echter nog weinig sprake van in Duitsland. Meer dan een halve eeuw deel uitmaken van de Europese Unie valt niet zo snel uit te wissen. Daarom verafschuwen veel Duitsers nu de euro, maar willen ze de euro ook niet kwijt.

Duitse rechters tegen Europese rechters

Een zucht van verlichting ging door Duitsland en Europa toen het Constitutionele Hof in Karlsruhe in haar vonnis van 7 september 2011 stelde dat de EFSF niet in tegenspraak is met de Duitse Grondwet. Vijf hoogleraren en Peter Gauweiler, parlementslid van de CSU, hadden een uitspraak van het Hof gevraagd over het steunpakket aan Griekenland en over de oprichting van de EFSF. In zijn vonnis van 7 september 2011 stelde het Hof dat het steunpakket niet ongrondwettelijk is.

Duitsland wordt volgens het Hof door het steunpakket niet in een Transferunion getrokken. Het Hof legt wel beperkingen op aan de werking van de EFSF. Het fonds kan alleen tot garantiestelling of uitbetaling overgaan na toestemming van het budgetcomité van het Duitse parlement. De nadruk die het Hof legt op een grotere rol van het parlement sluit aan bij de toezegging van bondskanselier Merkel na politieke druk vanuit de CDU/CSU om het parlement toestemming te vragen voordat ze het Duitse aandeel in het noodfonds aanspreekt. Dit vermindert de slagkracht van de EFSF, maar dit lijkt een te overkomen hindernis.

Een ander deel van de uitspraak lijkt verdergaande consequenties te hebben. Het Hof verbiedt het parlement als wetgever om permanente mechanismen in te stellen die vallen onder de wetgeving van internationale verdragen en die leiden tot het aannemen van aansprakelijkheid voor vrijwillige beslissingen van andere staten, vooral als deze gevolgen hebben waarvan de uitwerking moeilijk te berekenen is'. Duitsland mag dus niet deelnemen aan permanente internationale regelingen waarbinnen het zich aansprakelijk stelt voor de gevolgen van het gedrag van andere staten. Dit zou wel eens een juridische blokkade kunnen opleveren voor het ESM en nog meer voor de eventuele invoering van eurobonds, door een instelling van de Europese Unie of eurolanden uitgegeven obligaties waarvoor de lidstaten ieder garant staan voor de totale schuld. Beide hebben namelijk een permanent karakter, in tegenstelling tot de EFSF, die van kracht blijft tot de invoering van het ESM in 2013. Vooral eurobonds lijken te voldoen aan alle aspecten van de uitspraak van het Hof.

Het instellen van een politieke en budgettaire unie lijkt nauwelijks kansen te bieden om deze belemmering weg te nemen. Volgens de uitspraak van het Constitutionele Hof over het Verdrag van Lissabon van 30 juni 2009 zou dit een aanpassing van de Duitse Grondwet vragen. Dat vereist tweederde meerderheid in beide kamers van het parlement of misschien zelfs een referendum. Het moge duidelijk zijn dat in de huidige crisissituatie een dergelijk besluit zeer omstreden zou zijn en sterke tegenstand zou oproepen bij de Duitse kiezers.

De beslissingen van het Constitutionele Hof roepen weerstand op in Europa. Het Hof perkt de bewegingsruimte van de Duitse regering in met zijn uitspraken die sterk de nadruk leggen op de soevereiniteit van Duitsland. Omdat de EU en de eurolanden niet om Duitsland heen kunnen, strekken de gevolgen van de uitspraken van het Hof zich uit tot geheel Europa.

Een stap verder gaat de spanning tussen het Duitse Constitutionele Hof en het Hof van Justitie van de Europese Unie. Er zijn wetgevingsexperts die zich afvragen of het Constitutionele Hof met de uitspraak over de EFSF zijn boekje niet te buiten is gegaan. Het betreft hier Europese wetgeving waar het Constitutionele Hof eerst de mening van het Europese Hof van Justitie over had moeten vragen. Vervolgens zou het Constitutionele Hof gebonden zijn aan de interpretatie van het Europese Hof van Justitie. Dat is echter niet vanzelfsprekend. Het Duitse hof is namelijk het enige constitutionele hof in de EU dat niet accepteert dat Europese wetgeving systematisch het primaat heeft boven nationale wetgeving. Het accepteert ook niet dat het ondergeschikt is aan het Europese Hof van Justitie. Het Constitutionele Hof heeft vastgelegd dat overdracht van nationale competenties altijd via nationale wetgeving moet verlopen. Zo ging de uitspraak van 21 juni 2011 niet over het reddingspakket voor Griekenland zelf, maar over de Duitse *Währungsunion – Finanzstabilisierungsgesetz* (Monetaire Unie financiële stabiliseringswet). Het Hof sprak zich in 2009 niet uit over het Verdrag van Lissabon, maar over de *Zustimmungsgesetz zum Vertrag von Lissabon* (Wet ter goedkeuring van het Verdrag van Lissabon). Door zich uit te spreken over nationale wetgeving heeft het Hof een barrière tussen zichzelf en het Europese Hof van Justitie aangebracht. Bovendien kan het zo een voet tussen de deur krijgen bij alle belangrijke Europese beslissingen.

Zoals bij vele juridische kwesties, is het niet vast te stellen hoe een strijd tussen het Constitutionele Hof en het Europese Hof van Justitie zou aflopen, zonder deze eerst aan te gaan in een concreet geval. Daarvan lijkt nu geen sprake, zodat de verstrekkende macht van het Constitutionele Hof een factor blijft om rekening mee te houden. Duitsland bindt zich aldus via de eerste pijler van de sociale markteconomie aan een wettelijk kader ter bescherming van de burgers en de democratie dat tegelijkertijd de slagkracht vermindert om de eurocrisis aan te pakken, met substantiële risico's voor diezelfde burgers.

De ECB moet onafhankelijk zijn, maar kan dat niet

Eind september 2011 verscheen *Occasional Paper* 129 van de ECB, getiteld *The Stability and Growth Pact: Crisis and Reform*. Een van de auteurs was Jürgen Stark, het inmiddels afgetreden bestuurslid van de ECB. Het artikel constateert dat na de introductie van de euro de eurolanden zich onvoldoende hebben ingespannen om hun budgettaire positie te verbeteren. Door de financiële crisis sloegen de overheidsfinanciën uit het lood en de afschrikwekkende situatie in sommige lidstaten zet de stabiliteit en de houdbaarheid van de EMU op het spel. Recente hervormingen van het Stabiliteitspact gaan volgens het artikel in de goede richting, maar er zijn serieuze twijfels of ze ook voldoende zijn. Het is bovendien onduidelijk of individuele lidstaten voldoende institutionele hervormingen zullen doorvoeren.

Het artikel bepleit een aantal aanvullende maatregelen die neerkomen op verdere overdracht van bevoegdheden naar een centrale institutie. Tekorten van meer dan drie procent van het bbp vereisen uniforme goedkeuring door de Europese raad van ministers van Financiën. Landen moeten naar Duits voorbeeld een automatisch mechanisme inbouwen in hun begroting dat bezuinigingen in gang zet als structurele tekorten gaan oplopen, de zogenaamde schuldenrem. Als een land in de toekomst een beroep doet op het ESM voor ondersteuning en het afgesproken aanpassingsprogramma raakt uit de koers, dan wordt het land onder curatele geplaatst. Sancties uit het Stabiliteitspact treden automatisch in werking. Alle landen introduceren onafhankelijke budgetbureaus die onafhankelijke ramingen maken van de economische ontwikkeling. Er komt een onafhankelijk Europees budgetbureau dat nationaal beleid beoordeelt. Indien voor deze maatregelen het Verdrag moet worden aangepast, dan verdient dat de voorkeur. Mocht dat niet kunnen of te veel tijd kosten, dan kunnen de eurolanden een afzonderlijke overeenkomst sluiten.

Dit is dus hoe Stark zich de ordening van de eurolanden voorstelt. Het sluit aan bij de eerste twee pijlers van de sociale markteconomie: overheden en markten ingebed in wetten en regels, waar ze zich aan te houden hebben. Maar bovenal is het bedoeld om pijler drie te beschermen, een onafhankelijke centrale bank. Binnen de ECB is Stark de vertegenwoordiger van de harde monetaire lijn. De ECB heeft in zijn ogen louter als doel de inflatie te beheersen. Hij heeft waarschijnlijk met lede ogen aangezien hoe de ECB steeds meer overheidsobligaties opkocht van landen die in financiële problemen kwamen, recentelijk ook van Italië en Spanje. Zoals in hoofdstuk 7 aan de orde kwam, leidt dat tot een vermenging van het monetaire en het begrotingsbeleid. Dat maakt in zijn ogen de ECB kwetsbaar voor politieke beïnvloeding en ondermijnt de onafhankelijkheid van de ECB.

Het vertrek van Stark zet de relatie tussen de ECB en Duitsland verder onder druk. Duitsers zien de ECB wegglijden. De toenmalige president van de ECB, Jean Claude Trichet, verdedigt de handelwijze van de ECB. De bank kon niet anders nadat overheden, inclusief Duitsland, een loopje genomen hadden met de overeengekomen budgettaire regels. Dat moet Stark aanspreken. In 1992 werkte hij bij het Duitse ministerie van Financiën. Hij heeft de tekst van het Stabiliteitspact grotendeels persoonlijk geschreven, pleitte toen al voor automatische sancties zonder invloed van de Europese Raad en heeft zich regelmatig gekeerd tegen overheden die het Stabiliteitspact negeren.

Maar hoe heeft het dan zo ver kunnen komen? Vanwaar de Duitse aarzelingen om de Griekse schulden in een vroeg stadium te herstructureren? Waarom kiest Duitsland niet voor een grootscheeps Europees steunpakket voor Spanje en Italië als deze landen alleen liquiditeitsproblemen hebben?

Over herstructurering van de Griekse schuld en hervorming van het Stabiliteitspact bestaat onder Duitse economen weinig verschil van mening. Ze zijn het er grotendeels over eens dat dit zinvolle maatregelen zijn. Steun voor Spanje en Italië is iets heel anders. Issing, Sinn, Weidmann en Stark zijn hier tegen. Volgens hen is het risico te groot dat deze landen onvoldoende hun economie en instituties hervormen. Daarbij is het ook niet onomstreden dat een land als Italië alleen een liquiditeitsprobleem heeft. Met een schuld van 120 procent van het bbp en één procent economische groei komen houdbaarheidsgrenzen van de Italiaanse schuld in beeld als de rentevoet op lange termijn vijf à zes procent blijft. Kernvraag is dan natuurlijk of de rente nu vijf à zes procent is door tijdelijke liquiditeitsrestricties of door fundamentele oorzaken die ook op lange termijn blijven bestaan. Daar denken economen verschillend over.

In de Duitse politiek zijn de maatregelen veel meer omstreden. De christendemocratische CDU/CSU en de liberale FDP benadrukken de noodzaak dat schuldenlanden maatregelen nemen om hun economie te hervormen. Deze partijen zijn niet bereid nu of in de toekomst te betalen voor de soms lang voortslepende misstappen van anderen. Sprekend is de titel van een artikel van de Duitse minister van Financiën Wolfgang Schäuble in de *Financial Times* van 5 september 2011: '*Why austerity is the only cure for the eurozone*'. Het EFSF en ESM kunnen dienen om landen die tijdelijk in problemen komen de gelegenheid te geven orde op zaken te stellen. Maar eurobonds komen er niet en het financiële vangnet behoort een beperkte omvang te houden. Dit laatste weegt zwaar. Een aantal parlementsleden van CDU/CSU en FDP zijn tegen het akkoord van 21 juli 2011 dat de EFSF uitbreidt.

Sociaaldemocraten (SPD) en de Groenen (*Bündnis 90/Die Grünen*) beklemtonen meer de Europese eenheid, de noodzaak van een vangnet voor landen die in problemen komen en regulering van financiële markten. Zij hebben vertrouwen in Europese instituties zoals het hervormde Stabiliteitspact, eurobonds en uiteindelijk een Europese economische regering. De probleemlanden hebben tevens behoefte aan ondersteuning om hun groei weer op gang te krijgen, bijvoorbeeld hulp bij het opzetten van een systeem van effectieve belastinginning of verbetering van het onderwijs en creatie van werkgelegenheid.

Daarbij komt nog de vraag of landen als Duitsland voor zichzelf akkoord kunnen gaan met maatregelen die ze voor anderen nodig achten. Het is één ding om Griekenland of Italië verscherpt toezicht op te leggen of te vragen soevereiniteit af te staan. Maar het is heel wat anders om dat als politici ook zelf te ondergaan. Als het Constitutionele Hof een dergelijke soevereiniteitsoverdracht al zou toestaan.

Dat alles maakt het niet zo vreemd dat de ECB is overgegaan tot het opkopen van schuld van perifere landen, zij het met grote tegenzin en ondanks de tegenstand van een aantal vooraanstaande Duitse economen. Er dreigde een destabilisatie van de EMU en er waren simpelweg geen andere opties om dat te voorkomen.

Verder lezen

Martin Hellwig, 2011, 'Quo Vadis Euroland? European Monetary Union between crisis and reform, Preprints of the Max Planck Institute for Research on Collective Goods', Bonn, http://papers.ssrn.com/sol3/papers.cfm?abstract_id=1880929.
Een korte analyse van de oorzaken van de crisis en een paar aanbevelingen voor een oplossing van de hand van een eminent wetenschapper.

Otmar Issing, 2011, 'The crisis of the European Monetary Union: lessons to be drawn', *Journal of Policy Modeling*, vol. 33, pp 766-778. http://www.sciencedirect.com/science/article/pii/S0161893811000627.
De visie van een van de architecten van de EMU op de huidige crisis.

Michael D. Bordo, Agnieszka Markiewicz en Lars Jonung, 2011, 'A fiscal union for the euro: some lessons from history', NBER Working Paper 17380, http://www.nber.org/papers/w17380.
Een handzame beschrijving van het Duitse federale systeem en de Transferrepublik.

Ludger Schuknecht, Philippe Moutot, Philip Rother en Jürgen Stark, 2011, 'The Stability and Growth Pact: crisis and reform', ECB Occasional Paper Series, no 129, http://www.ecb.int/pub/pdf/scpops/ecbocp129.pdf.
Een visie op de crisis vanuit de ECB.

Wolfgang Proissl, 2010, 'Why Germany fell out of love with Europe', Bruegel Essay and Lecture Series, http://www.bruegel.org/publications/publication-detail/publication/417-why-germany-fell-out-of-love-with-europe/.
Een mooi beeld van de politieke afwegingen in Duitsland en de positie van het Constitutionele Hof.

Voor meer achtergronden bij dit hoofdstuk en informatie over de onderwerpen, zie www.cpb.nl/publicatie/europa-in-crisis.

9
Onder druk wordt alles vloeibaar

'Yet acquiring the backing of the public for major political issues is the basis of democracy, and it will be indispensable once EMU *is in place and unpopular measures are necessary.'*

ANDRE SZASZ, THE ROAD TO EUROPEAN MONETARY UNION

- Hoewel er goede redenen zijn voor overdracht van bevoegdheden aan Europese instellingen, loopt bijna geen enkele lidstaat daarvoor warm.
- Er is permanent preventief Europees toezicht op het nationaal begrotingsbeleid nodig. De disciplinerende werking van de kapitaalmarkt is te traag en te onvoorspelbaar.
- Omdat het begrotingsbeleid democratische controle vereist, hoort het niet bij de ECB thuis. Toch heeft de ECB daarvoor thans als enige voldoende geloofwaardigheid.
- De politieke patstelling lijkt nu hopeloos. Gezien de wordingsgeschiedenis van Europa zou deze crisis echter ook tot een institutionele doorbraak kunnen leiden.

Eind 2010 stuurde FNV-voorzitter Agnes Jongerius een brandbrief aan het kabinet. Daarin pleitte zij voor behoud van nationale autonomie op sociaaleconomisch terrein. Als strengere regels voor de euro zouden worden aanvaard, kon dit directe gevolgen hebben voor de onderhandelingsvrijheid van sociale partners, de loononderhandelingen, het pensioenstelsel en de ontslagbescherming. Het zou kunnen leiden tot door Europa afgedwongen hervormingen van de arbeidsmarkt. "Brussel is bezig een flink stuk van het tafelkleed naar zich toe te trekken op terreinen waarover het niets te zeggen heeft", stelde Jongerius in de brief. De FNV is voorstander van een betere naleving van het Stabiliteitpact, maar de voorstellen om Brussel ook invloed te geven op het economische beleid, gingen de vakcentrale te ver.

Jongerius staat in deze zorgen zeker niet alleen. De Nederlandse bevolking lijkt kritisch over Europa. Het duidelijke 'nee' tijdens het referendum over de Europese grondwet in 2005 sprak boekdelen. Ook in een aantal andere landen had dit verdrag een referendum waarschijnlijk niet overleefd. Uit onderzoek van het Sociaal en Cultureel Planbureau naar de voorkeuren van burgers blijkt tegelijkertijd dat ongeveer zeventig procent van de Nederlanders het lidmaatschap van de EU een goede zaak vindt. Die percentages zijn tussen 2001 en 2006 nauwelijks veranderd. Diezelfde tweeslachtigheid geldt ook voor Jongerius. Amper een jaar na haar brandbrief uit 2010 was zij medeondertekenaar van een nieuwe brief aan het kabinet, waarin zij samen met onder andere VNO-NCW voorzitter Bernard Wientjes het kabinet oproept om Europa en de euro overeind te houden.

Het Nederlandse 'nee' tegen de Europese grondwet lijkt dus achteraf niet zozeer een stem tegen Europa of de interne markt als zodanig. Het was vooral een stem tegen de toenemende bemoeizucht van Brussel. Nederland is voor vrije handel binnen Europa, maar bepaalt op de meeste terreinen graag zelf hoe het eigen land wordt ingericht. Zoals in hoofdstuk 8 bleek, ligt dat in Duitsland niet veel anders. Dat was precies waar Barry Eichengreen in 1992 al voor vreesde toen de referenda in Denemarken en Frankrijk de geringe steun voor de Economische en Monetaire Unie (EMU) aan het licht brachten. Een monetaire unie kan eigenlijk alleen goed functioneren wanneer er voldoende federale bevoegdheden zijn voor preventief banken- en begrotingstoezicht. Tijdens een crisis, als het toezicht financiële excessen niet heeft kunnen voorkomen, overleeft een muntunie alleen als er een *lender of last resort* bestaat met voldoende bevoegdheden en kapitaal om de crisis te kunnen oplossen. Dit schetst in een notendop het dilemma waar eurolanden nu voor staan. De meeste lidstaten willen zo min mogelijk bevoegdheden aan Europa overdragen, maar voor het overleven van de EMU is dat onontkoombaar. Hoe gaan de eurolanden zich uit deze spagaat redden? Onder de druk van de crisis wordt alles vloeibaar. Oplossingen die een jaar geleden nog ondenkbaar waren, komen nu in discussie. Omdat de Europese Centrale Bank (ECB) op dit moment de enige Europese instelling is met voldoende gezag om in deze crisis te kunnen optreden, ligt de sleutel voor de oplossing waarschijnlijk in Frankfurt.

De ECB steekt de Rubicon over

Monetair beleid verdraagt geen politieke interventies. Het is voer voor technocraten. Zoals we eerder zagen, karakteriseerde *The Economist* deze stelregel als de nieuwe gouden standaard voor het monetair beleid. Waar het begrotingsbeleid onvermijdelijk allerlei politieke keuzes vergt en dus democratische legitimatie vereist, daar kan het monetair beleid met gerust hart worden toevertrouwd aan een clubje onafhankelijke technocraten. Hoe minder politieke beïnvloeding, hoe beter het monetair beleid. Maar als die technocraten zich ook gaan bemoeien met het begrotingsbeleid, roepen ze politieke interventies over zich af. Dan komt de onafhankelijkheid van het monetair beleid in gevaar.

Deze les staat elke centrale bankier in het geheugen gegrift. Toen de ECB op 9 mei 2010 besloot om op de secundaire markt Griekse staatsobligaties op te kopen, was dat dan ook een dramatische beleidswending. Hoe die beslissing tot stand is gekomen is onduidelijk. Over de argumenten die de centrale bankiers bij hun besluit hebben laten gelden, is formeel niets bekend. Evenmin weten we of er een formele stemming heeft plaatsgevonden. Wel heeft één lid van de Raad van Bestuur van de ECB, de president van de Duitse Bundesbank, Axel Weber, publiekelijk zijn ongenoegen over dit besluit kenbaar gemaakt. Door op de kapitaalmarkt Griekse schuld op te kopen is de ECB nog maar een kleine stap verwijderd van de directe financiering van de tekorten van individuele lidstaten en dus van het voeren van begrotingsbeleid. Immers, de waarde van Griekse obligaties die nu al op de kapitaalmarkt worden verhandeld, hangt nauw samen met de waarde van de nieuwe obligaties die Griekenland moet uitgeven om zijn staatsschuld te financieren. Door bestaande Griekse schuld op te kopen, stijgen de prijzen van die obligaties en kan de Griekse overheid dus gemakkelijker nieuwe leningen uitgeven. En dat was nu precies wat de opstellers van het Verdrag van Maastricht hadden willen voorkomen. Begrotingsbeleid hoort immers niet tot het takenpakket van onafhankelijke centrale bankiers.

De ECB loopt het risico dat Griekenland de obligaties die worden opgekocht, niet zal kunnen of willen afbetalen. Dan lijdt de bank een fors verlies. De aandeelhouders van de ECB, de lidstaten van de EMU, krijgen dan minder dividend uitgekeerd, met alle gevolgen voor de begroting van die lidstaten. Langs een omweg heeft de beslissing van de ECB dus verstrekkende gevolgen voor de Europese belastingbetaler. Zoals in hoofdstuk 8 al aan de orde kwam, is die beslissing van de ECB daarom direct onderwerp geworden van controverse.

In 2011 voelde de ECB zich gedwongen een volgende, qua omvang nog veel grotere stap te zetten door ook Spaanse en Italiaanse obligaties op te kopen. De rente op Spaanse en Italiaanse obligaties was opgelopen tot ruim boven de vijf procent. De

Griekse economie is klein, Spanje en Italië zijn echter grote landen. De ECB kan zich daar gemakkelijk aan vertillen. De beslissing om ook voor die landen de rente op een aanvaardbaar niveau te willen brengen vereist in potentie enorme reserves, in de orde van grootte van één tot twee biljoen euro. Op zichzelf heeft de ECB voldoende reserves om deze aankopen te kunnen financieren zonder dat dit hoeft te leiden tot extra inflatie. Met die beslissing worden echter wel de toekomstige winsten van de ECB in de waagschaal gesteld, indien Spanje en Italië hun schuld niet volledig zouden afbetalen. De aankoop van Spaanse en Italiaanse obligaties brengt dus grotere risico's voor de belastingbetalers met zich mee. Grotere risico's voor de belastingbetalers gaan één op één samen met meer politieke controverses. Daarmee komt de onafhankelijkheid van de ECB onvermijdelijk onder druk te staan.

De toenmalige president van de ECB, Jean Claude Trichet, was daarom niet blij dat hij deze beslissing moest nemen. Naar verluidt heeft hij er sterk op aangedrongen, er zelfs bijna om gesmeekt, dat de regeringsleiders begrotingsgeld ter beschikking zouden stellen voor de aankoop van Griekse obligaties, bijvoorbeeld door via de European Financial Stability Facility (EFSF) voldoende kapitaal ter beschikking te stellen. Op die manier hadden regeringsleiders de politieke verantwoordelijkheid op zich genomen voor eventuele toekomstige verliezen op die obligaties, verliezen die uiteindelijk voor rekening komen van de Europese belastingbetaler. Zoals wij hebben gezien is de kans dat Griekenland zijn schulden volledig afbetaalt, klein. Of die verliezen nu worden gedekt uit de gewone begroting of uit de winst van de ECB, maakt per saldo weinig uit. In beide gevallen draait de belastingbetaler ervoor op. De winst van de ECB wordt immers afgedragen aan de aandeelhouders en dat zijn de centrale banken van de EMU-landen. Minder geld uit de winst van de ECB betekent dat het geld ergens anders vandaan moet komen. Vanuit dat gezichtspunt is deze confrontatie tussen Trichet en de regeringsleiders vooral een kwestie wie de zwartepiet krijgt.

Wie is hier politiek verantwoordelijk?

Het verzet tegen de overdracht van bevoegdheden is dus begrijpelijk, maar niet altijd in ons eigen belang. Dit maakt een oplossing van de huidige crisis zo ingewikkeld: het vraagt dat de politiek, en dus het electoraat dat die politici kiest, ten eigen baten over de eigen schaduw heen springt.

Er zijn ook reële belangentegenstellingen tussen landen. Het Nederlandse polderland blijft slechts droog, omdat de boeren in de polder het met elkaar eens zijn geworden over het onderhoud van de polderdijk. Geen enkele boer krijgt de kans gratis mee te liften op het onderhoudswerk van de andere boeren. De dijkgraaf is belast met het gezag om voor alle boeren bindende regels op te stellen. Die overdracht van bevoegdheden van de boeren naar de dijkgraaf is indertijd ongetwijfeld niet zonder slag of stoot gegaan. De boeren hadden behalve een gemeenschappelijk belang, ook allerlei tegengestelde belangen. Hoe groter het aandeel van anderen in het onderhoudswerk, des te minder hoef je zelf te doen. Het is een hele stap om de dijkgraaf het gezag te geven daar eenzijdig over te beslissen. Maar er is nog een ander probleem: stel je voor dat de dijkgraaf met de opbrengst van de polderbelasting voor zichzelf een prachtig buitenhuis aan de polderdijk zou bouwen. Daarom zijn er ook allerlei waarborgen bedacht om machtsmisbruik van de dijkgraaf zo goed en zo kwaad als mogelijk is te voorkomen. Uiteindelijk was er echter maar één reden die de boeren in de polder heeft kunnen overtuigen dat machtsoverdracht onvermijdelijk was: de wetenschap dat zonder dijkgraaf de polder vroeg of laat zou onderlopen als ze dat niet zouden doen.

In wezen staat Europa voor dezelfde vraag als indertijd de boeren in de Nederlandse polder. De gepercipieerde belangen van de diverse lidstaten bij de aanpak van de crisis lopen niet parallel. De lidstaten worden het daarom niet gemakkelijk eens over het te voeren beleid. De perifere eurolanden hebben er belang bij dat de ECB hen ondersteunt door zoveel mogelijk obligaties op te kopen. De noordelijke eurolanden willen juist dat de ECB zo min mogelijk van die obligaties koopt om bij een onverhoopt faillissement de kosten voor de ECB binnen de perken te houden. Landen met een omvangrijke, maar slecht gekapitaliseerde bankensector met veel staatsobligaties van perifere eurolanden op hun balans willen om hun bankwezen te beschermen niet dat Griekenland failliet gaat. Andere landen willen juist dat er geen cent belastinggeld meer naar Griekenland gaat. Echter, onder al deze tegengestelde belangen ligt één gemeenschappelijk belang, namelijk dat deze crisis niet uit de hand loopt zoals na de ondergang van Lehman Brothers in 2008.

De regeringsleiders spreken vooral over het nationale belang van hun eigen land. Zij maken slechts beperkt gewag van een gemeenschappelijk Europees belang. Dat spreekt eigenlijk voor zich: wie bij de onderhandelingen zoveel mogelijk voor zijn eigen land wil binnenhalen, kan maar beter niet laten merken dat hij ook geeft om het Europese belang. Dat verzwakt slechts de onderhandelingspositie. Zolang iedere boer een vetorecht had, was het bijna onvermijdelijk dat de polder vroeg of laat zou onderlopen. In Europa is dat precies eender. Lidstaten zullen ten minste op de voor het voorkomen en beheersen van de crisis cruciale terreinen hun vetorecht moeten opgeven. Dan kunnen besluiten genomen worden bij een al of niet gewogen meerderheid van stemmen. Voor urgente beslissingen is zelfs dat nog niet voldoende. In de polder heeft men de dijkgraaf met uitvoerende bevoegdheden bekleed. In de vaderlandse democratie is de regering verantwoordelijk voor de dagelijkse gang van zaken. Ook in Europa moeten sommige bevoegdheden worden toevertrouwd aan Europese instellingen, waarin besluiten niet worden genomen als een optelsom van de standpunten van individuele landen, maar vanuit een Europees perspectief.

Het probleem is dat de meeste lidstaten er niet echt warm voor lopen om bevoegdheden aan Europese instellingen over te dragen. Lidstaten hechten te zeer aan de eigen identiteit en de eigen onderhandelingspositie. Bovendien heeft men weinig vertrouwen in de dijkgraaf aan wie men de beslissingsmacht zou moeten afstaan. Meer macht voor de Europese Commissie? De meeste lidstaten moeten er niet aan denken, Duitsland nog het minst van allemaal, zo zagen we in hoofdstuk 8. Het zoeken is dus naar een oplossing die zo min mogelijk bevoegdheden aan Europese instellingen overdraagt, maar wel net zoveel dat het risico op een herhaling van de huidige crisis zoveel mogelijk wordt beperkt.

Zoals in hoofdstuk 4 aan de orde is geweest, moeten in ieder geval de bevoegdheden worden overgedragen voor het toezicht op het bankwezen en voor het beheer van het reddingsfonds waaruit in de toekomst de sanering kan worden betaald van financiële instellingen die in de problemen zijn geraakt. Daarover is inmiddels iedereen het wel zo ongeveer eens. Vergeleken met drie jaar geleden is dat een enorme stap voorwaarts. Ten tijde van de ondergang van Lehman Brothers in het najaar van 2008 wilden de meeste nationale toezichthouders daar absoluut nog niet aan. Dat men het erover eens is dat het moet, wil overigens nog niet zeggen dat het daarmee ook meteen geregeld is. De uitkomst van de stresstest voor Europese banken van juli 2011 geeft wat dat betreft een helder signaal. Amper drie maanden na de publicatie van die test ging het Frans/Belgische Dexia failliet, een bank die met vlag en wimpel door de stresstest kwam. Wat dat betreft is er nog geen vooruitgang geboekt in vergelijking met de stresstest van het jaar daarvoor. Ook toen was een aantal Ierse banken voor de test geslaagd, terwijl zij enkele maanden later de deuren alsnog moesten sluiten.

De ECB terug over de Rubicon

De lidstaten mogen er dan nog steeds weinig voor voelen om de dijkgraaf meer bevoegdheden te geven, ondertussen dreigt de polder wel onder te lopen. Het afgelopen jaar hebben de regeringsleiders al een aantal noodreparaties moeten uitvoeren. En door die noodreparaties zijn er stiekem al een aantal piketpalen verzet. De belangrijkste stap is de eerder besproken uitbreiding van het werkterrein van de ECB, eerst voor Griekenland, toen voor Portugal en Ierland, en in de zomer van 2011 ook voor Spanje en Italië. Zoals wij in hoofdstuk 7 zagen, heeft de ECB bij die laatste operatie een nieuwe stap gezet. In een brief aan de Italiaanse minister-president Silvio Berlusconi heeft Trichet samen met zijn opvolger Mario Draghi een aantal voorwaarden verbonden aan de steunaankopen van de ECB. Alleen als Italië een aantal bezuinigingsmaatregelen doorvoerde, zou de ECB bereid zijn de Italiaanse overheid te hulp te schieten. Naast de bijna directe financiering van overheidstekorten van lidstaten met financiële problemen heeft de ECB daarmee weer een nieuw terrein betreden, dat van het toezicht op het begrotingsbeleid van de lidstaten.

Door akkoord te gaan met de noodreparaties die de ECB heeft uitgevoerd, of preciezer; door daar geen bezwaar tegen te maken, hebben de regeringsleiders impliciet ingestemd met een forse overdracht van bevoegdheden aan de enige Europese instelling waarin men blijkbaar vertrouwen had, de centrale bankiers in Frankfurt. Deze noodgrepen voor de korte termijn zouden wel eens een belangrijke stap voorwaarts kunnen zijn in de richting van een meer structurele oplossing voor de lange termijn. Maar, er zit een addertje onder het gras.

De regeringsleiders konden het niet eens worden over een steunpakket, maar konden er wel mee akkoord gaan als de ECB de knoop zou doorhakken. In Duitsland zijn er zelfs mensen die het niet acceptabel vinden als er bevoegdheden en garantiekapitaal worden overgedragen aan het nieuwe in Luxemburg gevestigde noodfonds EFSF. Onder leiding van de Duitser Klaus Regling kan de EFSF steun bieden aan landen in moeilijkheden. De dijkgraaf uit Frankfurt hebben we inmiddels leren kennen, bij die uit Luxemburg moeten we nog maar afwachten wat voor vlees we in de kuip hebben, zo lijkt de redenering. Of zit het anders? Wil men eigenlijk helemaal geen politieke bevoegdheden aan een Europese instelling overdragen en probeert men daarom die bevoegdheden zo technocratisch mogelijk te definiëren? Door oogluikend toe te staan dat de ECB haar mandaat tijdens de crisis ruim interpreteert, kan deze *de facto* overdracht van bevoegdheden na de beëindiging van de eurocrisis gewoon weer worden teruggedraaid, althans zo lijkt het. De ECB kan zonder verdere politieke besluiten beschikken over een bijna oneindig garantiekapitaal. Ook dat maakt de ECB een ideaal instrument voor een *ad hoc* oplossing voor de huidige crisis.

Zoals gezegd, Trichet heeft naar verluidt binnenskamers tegen deze gang van zaken geprotesteerd, maar uiteindelijk is hij ermee akkoord gegaan. Italië en Spanje zijn tijdelijk gered en daarmee heeft de ECB vooralsnog een verder uitslaande crisis voorkomen. Maar tegelijk loopt de EMU door het optreden van Frankfurt een groot risico. Het succesmodel van de Bundesbank en daarna van de ECB – politieke onafhankelijkheid van het monetaire beleid – zou teloor kunnen gaan. En dus moeten de centrale bankiers een weg terug over de Rubicon zien te vinden. Daarbij zou de overdracht van bevoegdheden over begrotingsbeleid naar een andere Europese instelling bij voorkeur gehandhaafd moeten worden, maar mogen die bevoegdheden geen bedreiging vormen voor de onafhankelijkheid van de ECB bij het bepalen van het monetair beleid. Die weg lijkt uit twee elementen te bestaan, die naar behoefte kunnen worden gecombineerd. Ten eerste zou de technische uitvoering van het monetair en het begrotingsbeleid in één hand kunnen worden gehouden, maar zouden de formele verantwoordelijkheden voor beide weer uit elkaar moeten worden gehaald. Bij het begrotingsbeleid is een of andere vorm van democratische legitimatie noodzakelijk, maar het monetair beleid kan dan weer in volledige politieke onafhankelijkheid worden vastgesteld. Wij laten hier rusten hoe dit het beste kan worden gerealiseerd. Ten tweede kan het begrotingsbeleid zo technocratisch mogelijk worden ingevuld, zodat het slechts een beperkt politiek mandaat vereist en de nationale autonomie van de lidstaten zoveel mogelijk wordt gerespecteerd.

Waarom werkt kapitaalmarktdiscipline niet?

Waarom kunnen we niet op de kapitaalmarkt vertrouwen om het begrotingsbeleid op orde te houden? Het Verdrag van Maastricht was voor een belangrijk deel gebaseerd op de gedachte dat de kapitaalmarkt een land zou dwingen zijn begroting op orde te houden. Een land met te hoge financieringstekorten en een te hoge staatsschuld moet in eerste instantie een hogere rente voor zijn staatsleningen betalen en in tweede instantie helemaal geen financiering voor zijn staatsschuld meer kunnen krijgen. In de *no-bailout* clausule is vastgelegd dat een land in die situatie geen steun krijgt van andere landen. De schuldeisers moeten zelf op de blaren zitten. De voorbeelden van Griekenland en Ierland hebben echter laten zien dat die clausule niet geloofwaardig is. Als een land in moeilijkheden raakt, dan zijn de andere lidstaten bijna gedwongen om dat land bij te springen. Bovendien is de druk enorm om ook de schuldeisers grotendeels met de schrik te laten vrijkomen.

Zoals beschreven in hoofdstuk 5, werkt dit mechanisme wel in de VS. Daar loopt de rente voor een staat al op als de schuld van die staat boven de negen procent uitkomt. De VS verschilt echter op vier punten van Europa. Ten eerste is de monetaire unie in de VS al meer dan twee eeuwen oud. Daardoor zijn verwachtingen gewettigd en reputaties gevestigd: het bestaan van de dollarzone is onomkeerbaar. Ten tweede is de omvang van de begroting van de individuele lidstaten in de EMU groot, veertig tot vijftig cent per verdiende euro. Dat maakt de consequenties van het bankroet van een Europese lidstaat veel groter dan van een Amerikaanse staat. Bovendien is het risico van een bankroet voor een Europese lidstaat groter, omdat de federale begroting in de VS een soort verzekering tegen conjuncturele tegenwind verschaft van twintig tot dertig dollarcent per dollar. De Europese federale begroting van één cent per euro is voor dat doel veel te klein. Ten derde hebben de meeste Amerikaanse staten, door schade en schande wijs geworden, een aantal begrotingsregels in hun grondwet laten vastleggen. Ten vierde kent Amerika een federaal toezicht op het bankwezen met een federaal depositogarantiestelsel. Als een bank in problemen komt, dan worden depositohouders gered met federale middelen. Aangezien financiële problemen van een lidstaat vrijwel altijd samengaan met problemen in het lokale bankwezen, functioneert dit federale depositogarantiestelsel feitelijk als een extra federale verzekering voor staten tegen lokale conjuncturele tegenwind. De gang van zaken in Griekenland maakt de relevantie van dit mechanisme duidelijk. Een bankroet van de Griekse overheid leidt onvermijdelijk ook tot de ondergang van het Griekse bankwezen. Binnen de Amerikaanse verhoudingen zou die rekening bij het federale depositogarantiestelsel terechtkomen.

De technocratie aan het begrotingsstuur

De voorafgaande analyse laat zien dat een werkbare institutionele oplossing voor de lange termijn in ieder geval moet voorzien in twee dingen: ten eerste preventief begrotingstoezicht door een Europese instelling, ten tweede een *lender of last resort* die kan bijspringen als het preventieve toezicht onverhoopt heeft gefaald. Die *lender of last resort* zou desgewenst die functie kunnen combineren, voor zowel financiële instellingen als voor lidstaten. Tegelijkertijd introduceert het bestaan van een *lender of last resort* ook het risico dat lidstaten hun begrotingsdiscipline laten varen omdat ze weten dat indien de nood aan de man komt, die *lender of last resort* hen uiteindelijk uit de brand zal helpen. Een *lender of last resort* kan dus alleen goed functioneren als er preventief begrotingstoezicht is op Europees niveau. Hoe kan dit op een handzame manier worden vormgegeven?

Zoals gezegd staat geen van de lidstaten te trappelen om bevoegdheden aan een Europese toezichthouder over te dragen. De beslissingen van een dergelijke toezichthouder hebben dus altijd een beperkte democratische legitimatie. Nationale parlementen behouden op dat terrein graag hun monopolie. Dit betekent dat het begrotingstoezicht zo technocratisch mogelijk moet worden ingevuld, zoveel mogelijk naar analogie met het monetair beleid.

De constitutionele restricties die Amerikaanse staten zichzelf hebben opgelegd, zijn een goed startpunt: scheiding van consumptieve bestedingen en investeringen, waarbij de investeringen bij voorkeur zijn ondergebracht in aparte juridische entiteiten met eigen inkomsten. Dan kan de gulden financieringsregel worden toegepast: een sluitende begroting voor de consumptieve uitgaven. Alleen voor investeringen mag worden geleend. Het toezicht op deze regels is dan een louter technische aangelegenheid. Dat toezicht moet worden ondersteund door een onafhankelijke Europese fiscale waakhond, vergelijkbaar met de rol van het CPB voor Nederland. Het voorstel van premier Mark Rutte en minister van Financiën Jan Kees de Jager voor de instelling van een Europese commissaris voor het begrotingstoezicht past goed in deze denklijn.

Deze oplossing kent echter een aantal praktische problemen. Het eerste probleem is het onderscheid tussen consumptieve bestedingen en investeringen. Zoals in hoofdstuk 8 aan de orde is geweest, heeft dit onderscheid in Duitsland voor veel problemen gezorgd. Overheden zijn er meesters in om consumptieve uitgaven te presenteren als investeringen. Overigens, ook in het bedrijfsleven is dit een probleem. Door een uitgave als een investering te presenteren, worden de lasten daarvan naar de toekomst geschoven. Het handhaven van het onderscheid tussen consumptie en investering en vergt dus strikte boekhoudregels en strenge controle.

Een tweede probleem betreft de bestaande schulden van de lidstaten. Zonder aanvullende regels kunnen die voor eeuwig blijven bestaan. Het ligt dus voor de hand om lidstaten te verplichten die schulden geleidelijk af te bouwen, bijvoorbeeld over een periode van twintig jaar, net zoals in het Verdrag van Maastricht was opgenomen bij de toelatingseisen tot de EMU. Echter, tot welk niveau moeten de schulden worden afgebouwd? In het Verdrag van Maastricht was een niveau van zestig procent afgesproken. Dit getal was echter arbitrair en doet bovendien geen recht aan allerlei verschillen tussen landen. Moet dat getal voor alle landen gelijk zijn, of moet het afhankelijk zijn van allerlei impliciete verplichtingen die de overheid in de desbetreffende lidstaat op zijn schouders heeft genomen, zoals pensioenverplichtingen voor oud-werknemers? Nederland heeft daarvoor geld apart gezet in een financieel zelfstandig pensioenfonds, Duitsland niet. Soortgelijke kwesties spelen eveneens bij de uitgaven voor de gezondheidszorg. Ook het groeitempo en de demografische ontwikkeling zijn van belang bij de bepaling van het wenselijke doel voor de staatsschuld.

De simpele regel van zestig procent uit het Verdrag van Maastricht voldoet dus niet. Maar op het moment dat die regel wordt losgelaten, verzandt het preventief toezicht in een poel van ingewikkelde inhoudelijke discussies. Dat bemoeilijkt een puur technocratisch toezicht. Hiervoor moet bij de uitwerking van de regels dus een pragmatische oplossing worden gevonden. Terug naar de regels van het Verdrag van Maastricht is waarschijnlijk te simpel. De vraag is of de toezichthouder een verantwoordelijkheid moet krijgen bij het aanpassen van de regels. Immers, bestaande regels worden omzeild en moeten dus worden aangevuld met nieuwe regels. Hier ontstaat al snel een afweging tussen twee kwaden: regels die onwrikbaar vastliggen zijn minder effectief, maar meer bevoegdheden leggen bij de toezichthouder ondergraaft het technocratische karakter van het toezicht.

Een derde probleem vormen overheidsgaranties. Het voorbeeld van de regionale Spaanse banken laat zien dat de overheidsbegroting er op papier heel gezond uit kan zien, maar dat daarbij via de achterdeur van garanties tal van risico's aan het oog onttrokken kunnen worden. Ook Nederland kent garantieregelingen die potentieel grote lasten voor de overheid met zich kunnen brengen, zoals de Nationale Hypotheek Garantie. Een forse daling van de huizenprijzen zou het beroep op die garantie fors doen toenemen. De enige oplossing voor dit probleem is veel strengere regels voor garantstelling door de overheid. Naarmate financiële markten zich verder ontwikkelen, is er minder noodzaak voor dergelijke garanties, omdat men zich op de markt tegen deze risico's kan verzekeren en overheidsgaranties dus overbodig worden.

Het laatste probleem is de conjunctuur. In recessies dalen de belastinginkomsten sterk. Een ongeclausuleerde toepassing van de gulden financieringsregel zou er dan toe leiden dat een lidstaat ten tijde van een recessie van de ene op de andere dag zijn uitgaven zou moeten aanpassen aan de lagere belastinginkomsten. Dat zou die recessie alleen maar verscherpen. Zoals gezegd biedt in Amerika de federale overheid in die situatie een buffer, zodat de aanpassing van de begroting voor de staat haalbaar is. In Europa ontbreekt die buffer en is de begroting van de lidstaten bovendien veel hoger, zodat onmiddellijke aanpassing aan de lagere belastinginkomsten tot prohibitieve kosten leidt. Bij de toepassing van de gulden financieringsregel zal dus een voorziening moeten worden gemaakt voor conjuncturele omstandigheden. Lidstaten moeten ten tijde van conjuncturele tegenwind tijdelijk een tekort mogen hebben, dat wordt weggewerkt als de conjunctuur de economie een rugwind heeft. De beoordeling van de conjuncturele omstandigheden kan echter aanleiding zijn voor veel discussie. Politici kunnen de noodzaak voor ombuigingen ontwijken door te claimen dat de conjunctuur tijdelijk tegenzit. Toepassing van een conjunctuurcorrectie in de begrotingsregels vereist dus dat de conjunctuurraming de taak is van een onafhankelijk instituut, zoals in Nederland het CPB.

Een dergelijke conjunctuurcorrectie gaat overigens nog altijd minder ver dan de federale verzekering tegen lokale conjunctuurschokken zoals in de VS. Immers, als een lidstaat het tekort tijdelijk laat oplopen als een buffer tegen een conjuncturele tegenvaller, zal die lidstaat in latere jaren zelf voor de kosten daarvan moeten opdraaien. In de VS draagt de federale overheid die lasten. Een dergelijk systeem wordt in de huidige discussie in Europa gekarakteriseerd als een 'transferunie'. Het is goed om in het achterhoofd te houden dat dit soort unies elders de normaalste zaak van de wereld zijn, bijvoorbeeld voor de staten binnen de VS, of binnen de EMU, voor deelstaten binnen Duitsland of voor gemeenten binnen Nederland.

Alles bij elkaar genomen vraagt begrotingsbeleid altijd meer discretionaire beslissingen dan het monetair beleid. Dus vereist het begrotingsbeleid altijd een vorm van democratische legitimatie. De drie-procent-tekort en zestig-procent-staatsschuld regels uit het Verdrag van Maastricht zijn té simpel gebleken. Dus komt er een zoektocht naar een geavanceerder alternatief. Een Europese begrotingsautoriteit vraagt altijd een vorm van democratische legitimatie, ten einde dergelijke regels te kunnen voorstellen en de naleving ervan te kunnen controleren.

Tot slot resteert de vraag: wat te doen als een lidstaat de regels van de Europese begrotingsautoriteit aan zijn laars lapt? Welke sancties heeft de begrotingsautoriteit dan ter beschikking? Tegen de tijd dat de kapitaalmarkt het vertrouwen in de lidstaat heeft opgezegd, is dat minder een probleem, omdat de lidstaat dan voor de financiering van zijn tekort afhankelijk is van de *lender of last resort*. Die heeft een stevig machtsmiddel om beleidsaanpassing af te dwingen: zonder aanpassing geen overbruggingskrediet. Echter, de rol van het preventieve begrotingstoezicht is juist om een beroep op de *lender of last resort* te voorkomen. Welke machtsmiddelen zijn in die voorfase beschikbaar om een lidstaat tot de orde te roepen?

Er is in discussies in het afgelopen jaar een aantal suggesties gedaan, waarvan sommige in het sixpack zijn overgenomen, zoals besproken in hoofdstuk 5. Een eerste instrument is *naming and shaming*. Als de begrotingsautoriteit luid van de daken schreeuwt dat een lidstaat zich niet aan de regels houdt, dan zou dat voor de kapitaalmarkt een helder signaal moeten zijn dat er iets mis is. De vraag is echter hoe geloofwaardig deze dreiging is. Het vergt wel heel sterke knieën van de begrotingsautoriteit om de kapitaalmarkt publiekelijk te vragen de rente voor een lidstaat op te drijven.

Andere mogelijkheden zijn minder direct, maar hebben daarom ook minder effect, zoals de opschorting van het stemrecht in de instellingen van de EMU of een stopzetting van de subsidies vanuit de Europese structuurfondsen. De effectiviteit van dat laatste is beperkt om de simpele reden dat die subsidies niet veel om het lijf hebben.

Een laatste mogelijkheid is om de Europese begrotingsautoriteit het recht te geven om de btw-tarieven vast te stellen en om, indien noodzakelijk, een deel van de daaruit voortvloeiende inkomsten als reserve bij de *lender of last resort* achter te houden. Op die manier worden financiële markten bijna gedwongen om de rente op te laten lopen, simpelweg omdat de kredietwaardigheid van de lidstaat achteruitloopt doordat een deel van de belastinginkomsten wordt achtergehouden. Dit betekent weliswaar een vergaande overdracht van bevoegdheden, maar is waarschijnlijk de enige manier om een lidstaat preventief tot de orde te roepen. Kortom: iedere bevredigende oplossing is een moeizaam compromis tussen de behoefte van de lidstaten om zoveel mogelijk zelf voor het begrotingsbeleid verantwoordelijk te blijven en de noodzaak om op bovennationaal niveau bijtijds te kunnen bijsturen.

Eurobonds en de lidstaten als gemeenten van Europa

Van diverse kanten wordt gepleit voor een veel verdergaande hervorming en de invoering van eurobonds. Zoals in hoofdstuk 7 is besproken, zijn er plannen voor eurobonds in verschillende gedaanten. Het gemeenschappelijke kenmerk is dat alle landen gemeenschappelijk verantwoordelijk zijn voor elkaars schuld. In theorie betekent dit dat als alle lidstaten op één na niet meer aan hun verplichtingen voldoen, die ene lidstaat verantwoordelijk is voor de aflossing van de schuld van alle andere lidstaten. Om de invoering van eurobonds mogelijk te maken is het dus nodig dat lidstaten de bevoegdheden over hun belastingbasis overdragen aan een Europese instelling. Het is immers niet goed denkbaar dat lidstaten wel bereid zijn voor elkaars schulden in te staan als zij niet bereid zijn om elkaar de zeggenschap te geven over de voornaamste inkomstenbron waaruit die schulden moeten worden afbetaald. Kortom: de invoering van eurobonds is eigenlijk alleen uitvoerbaar als de monetaire unie overgaat in een fiscale unie.

Met de invoering van eurobonds is het preventieve begrotingstoezicht op papier plotseling relatief eenvoudig. Immers, eurobonds worden uitgegeven bij één centraal loket, de Europese begrotingsautoriteit. Wie niet voldoet aan de voorwaarden die door die autoriteit worden gesteld, krijgt geen eurobond-financiering. Een land kan zelf naar de kapitaalmarkt gaan, maar moet dan ongetwijfeld een fors hogere rente betalen. Men zou deze mogelijkheid zelfs kunnen verbieden. Lidstaten worden op deze wijze in zekere zin gemeenten van een federaal Europa. Een lidstaat die aanklopt bij de *lender of last resort* is net als een artikel 12-gemeente in Nederland. In de Nederlandse verhoudingen gaat dit min of meer geruisloos. Vanzelfsprekend wordt die gemeente dan onder curatele gesteld om te zorgen dat het lek in de begroting zo snel mogelijk wordt gedicht. De meeste gemeenten vinden het een blamage om een beroep op deze regeling te moeten doen. Dit houdt de situatie beheersbaar.

Een prettige bijkomstigheid van de invoering van eurobonds en de daarmee samenhangende overdracht van de bevoegdheden over de belastingbasis is dat het relatief eenvoudig wordt om lidstaten te verzekeren tegen lokale conjuncturele tegenwind. Dit is analoog aan de wijze waarop de federale belasting in de VS voor individuele staten als een verzekering tegen conjuncturele neergang functioneert.

Op papier is de invoering van eurobonds dus een zeer transparante oplossing. Echter, zij vereist een vergaande overdracht van bevoegdheden, veel verder dan waar de lidstaten op dit moment toe bereid zijn. Op dit moment loopt de belastingmoraal in diverse lidstaten sterk uiteen. Er zijn ook twijfels aan het vermogen van bijvoorbeeld de Griekse belastingdienst om belastingen te innen. De overdracht van de zeggenschap over de belastingbasis laat zich dus niet eenvoudig regelen. De weg naar eurobonds is voorlopig met hindernissen en belemmeringen geplaveid.

Tot besluit

De schuldencrisis heeft duidelijk gemaakt dat de instituties van de EMU in hun huidige vorm niet werken. Wat een aantal economen al direct na de ondertekening van het verdrag vreesde, blijkt bewaarheid. Een muntunie vereist meer overdracht van bevoegdheden van de lidstaten naar het federale niveau dan waar het verdrag in had voorzien. Zoals Martin Wolf, de columnist van de *Financial Times,* in het openingscitaat van hoofdstuk 1 al aangaf, zijn er nu twee opties: ofwel de EMU gaat voorwaarts in de richting van een muntunie met meer federale bevoegdheden, ofwel de EMU doet een stap terug in de richting van een gehele of gedeeltelijke ontbinding.

Overdracht van bevoegdheden is niet vrijblijvend. Nederland kan zichzelf nu voorhouden dat die overdracht alleen de perifere eurolanden treft, de landen die nu niet aan hun verplichtingen kunnen voldoen. Dat is echter schijn. Als Europa uit naam van Duitsland, Finland, Oostenrijk en Nederland de inwoners van een land als Griekenland voorhoudt dat zij hun ontslagrecht moeten flexibiliseren en hun pensioenleeftijd moeten verhogen, dan heeft dit op termijn ongetwijfeld ook consequenties voor Nederland. De vraag is overigens of dat in alle gevallen ook vanuit Nederlands perspectief per se onwenselijk is. Ook al is het onaangenaam als die hervormingen op gezag van een Europese begrotingsautoriteit zouden worden doorgevoerd, dan hoeven ze daarmee nog niet strijdig te zijn met het Nederlandse belang. Europa kan dan juist een oplossing bieden voor patstellingen in de Nederlandse politieke verhoudingen.

Het is goed ons te realiseren dat Nederland nu aan de veilige kant van de streep zit, omdat de financiële markten Nederland als een veilige belegging zien. Het had de afgelopen jaren rond de bankencrisis ook anders kunnen lopen. Het is meer geluk dan wijsheid dat ABN AMRO net op tijd aan een buitenlandse bank was verkocht. De bank had een aanzienlijke portefeuille probleemleningen op zijn balans staan, die ons land tijdens de Grote Recessie in grote moeilijkheden had kunnen brengen. Ook elders in het Nederlandse bankwezen waren er forse verliezen. Gezien de omvang van de Nederlandse financiële sector in verhouding tot ons nationaal inkomen had dat voor grote problemen kunnen zorgen. Voor Duitsland geldt hetzelfde. Het is nog maar vijftien jaar geleden dat er over Duitsland werd gesproken als de oude zieke man van Europa. Terwijl de Nederlandse economie in de jaren negentig van de vorige eeuw groeide als kool, stagneerde die van Duitsland. De arbeidsmarkt zat bij onze oosterburen op slot, de werkloosheid bedroeg bijna tien procent. Pas toen Duitsland in het eerste decennium van deze eeuw zijn arbeidsmarkt hervormde, krabbelde het land overeind en werd het weer de motor van de Europese economie.

Uit deze geschiedenis valt een belangrijke les te trekken. De relatieve voorspoed van Nederland en Duitsland van dit moment is betrekkelijk. Als wij nu zeer hardvochtige afspraken bepleiten voor landen als Spanje en Ierland, die op zichzelf op tal van punten een redelijk beleid hebben gevoerd, dan is het goed dat we ons bedenken dat die afspraken ook Nederland kunnen treffen, als onze economie onverhoopt in zwaar weer raakt. Een bescheiden mate van transfers naar de perifere eurolanden past dus prima in een beleid gebaseerd op welbegrepen eigenbelang.

Tot slot: democratische *checks and balances* voor het begrotingsbeleid zijn aan te bevelen. Echter, zolang de regeringsleiders van de lidstaten het daar niet over eens kunnen worden, wordt ondertussen onvermijdelijk naar andere oplossingen gezocht. De afgelopen twee jaar heeft de ECB tegen wil en dank bevoegdheden naar zich toegetrokken die volgens de heersende doctrines bij democratische organen horen te liggen. Wie weet kan die overdracht van bevoegdheden straks worden gelegitimeerd door die bevoegdheden zo technisch mogelijk in te vullen. De échte politieke besluiten blijven dan voor verantwoordelijkheid van de nationale parlementen. Als dat niet mogelijk blijkt, dan staan de lidstaten voor de keuze om ófwel bevoegdheden over te dragen aan een democratisch gelegitimeerde Europese instelling, ófwel om de heersende doctrine van de noodzaak van democratisch legitimatie van het begrotingsbeleid een beetje geweld aan te doen. Tenminste, als we de EMU de kans willen geven deze crisis ongeschonden door te komen.

Verder lezen

Richard Baldwin en Daniel Gros, 2010, 'Introduction: the Euro in crisis. What to do?', http://www.voxeu.org/reports/EZ_Rescue.pdf
Handzame inleiding van een E-boek van een aantal bekende Europese economen over de crisis.

Willem Buiter en Ebrahim Rahbari, 2011, 'The future of the Euro area: fiscal union, break-up or blundering; towards a "you break it, you own it Europe"', *Global Economics View*, http://www.willembuiter.com/3scenarios.pdf
Heldere analyse van mogelijke wegen uit de huidige crisis.

Barry Eichengreen, 2011, *European Monetary Integration with Benefit of Hindsight*, Den Haag: CPB Lecture 2011.
Terugblik op de ontstaansgeschiedenis van de EMU geredeneerd vanuit de huidige crisis.

David Marsh, 2010, *The state of economic and monetary union: 'Will the Greeks kill the euro?'*, Amsterdam: Duisenberg Institute Lezing, http://www.omfif.org/downloads/The_Greeks_and_the_Euro_250510.pdf
De Shakespeareaanse visie van een Britse financieel journalist op de eurocrisis.

Michael D. Bordo, Agnieszka Markiewicz en Lars Jonung, 2011, 'A fiscal union for the euro: some lessons from history', NBER Working Paper17380. http://www.nber.org/papers/w17380
Een handzame beschrijving van het Duitse federale systeem en de Transferrepublik.

Voor meer achtergronden bij dit hoofdstuk en informatie over de onderwerpen, zie www.cpb.nl/publicatie/europa-in-crisis.

Gebruikte afkortingen

CAC	Collective Action Clause
CPB	Centraal Planbureau
DNB	De Nederlandsche Bank
EC	Europese Commissie
ECB	Europese Centrale Bank
ECOFIN	Raad voor Economische en Financiële Zaken
EEG	Europese Economische Gemeenschap
EFSF	European Financial Stability Facility
EFTA	European Free Trade Association
EGKS	Europese Gemeenschap voor Kolen en Staal
EMU	Economische en Monetaire Unie
ESM	European Stability Mechanism
EU	Europese Unie
FDP	Freie Demokratische Partei
FED	Federal Reserve
IIF	Institute of International Finance
IMF	Internationaal Monetair Fonds
RBS	Royal Bank of Schotland
SCP	Sociaal Cultureel Planbureau
SPD	Sozialdemokratische Partei Deutschlands
VK	Verenigd Koninkrijk
VS	Verenigde Staten
WTO	World Trade Organisation

Index

AAA-rating 102, 166, 181, 229
ABN AMRO 94, 96, 229
Aghion, Philippe 58
Alitalia 62
ambtenarensalarissen 84, 145, 148
Antonveneta 96
arbeidsmigratie 25, 27, 28, 59
Autoriteit Financiële Markten 95
Azië-crisis 153, 169

bailout 17
Banca Popolare 96
Bank of Scotland 93
bankentoezicht 7, 9, 10, 17, 19, 20, 29-31, 37-39, 91, 94-98, 103, 104, 108-115, 126, 136, 138, 139, 178, 185, 191, 192, 209, 211, 214, 216, 220
bbp 69, 87, 155, 163, 204, 206
bedrijfsobligaties 92, 93
begrotingsdiscipline 7, 9, 10, 19, 20, 27-31, 37, 38, 101, 119, 126, 162, 183, 185, 192, 195-197, 201, 209, 214, 219, 221
begrotingsregels 10, 28, 29, 117, 123, 124, 126-129, 131, 133-136, 138, 205, 210, 211, 220-227
belangengroep 61, 66, 111, 145, 147, 153, 187
België 24, 40, 77, 80, 97, 135
Berlijnse muur 35
Berlusconi, Silvio 125, 169, 170, 217
besmetting 112, 134, 152, 162, 170, 177, 178, 191
betalingsbalansoverschot 15, 138, 145, 160
betalingsbalanstekort 14, 15, 16, 18, 19
Blundell, Richard 58
Boedapest 35
Bolkestein, Frits 52, 53
Boonstra, Wim 180
Britse pond 78, 155, 156, 163
Bruegel 179
Brussel 31, 43, 61, 64, 65, 158, 180, 194, 210
budgetbureaus 204
buitensporigtekortprocedure 128, 130, 135
Buiter, Willem 166, 167
Bundesbank 29, 77, 78, 99, 126, 188, 193, 212, 218
Bündnis 90/Die Grünen 206

CAC 167, 168
Caja 95
Cassis de Dijon (arrest) 42, 64
CDU/CSU 127, 201, 206
centrale bank 14, 22, 23, 29, 34, 36, 47, 68, 69, 75-78, 91, 92, 95-97, 100, 101, 104, 111, 121, 126, 150, 151, 168-172, 176-178, 205, 211-213, 218
Chicago 33
Citibank 166

conjunctuurcorrectie 22, 24-28, 219, 220, 224, 227
CPB 7, 8, 39, 49, 53, 56, 57, 87, 111, 222, 224

deelstaten 25, 95, 187, 188, 195, 196, 225
Delors, Jacques 46, 47, 119, 126, 225
democratische legitimatie 10, 148, 171, 172, 187, 190, 192, 193, 197, 209, 211, 219, 221, 225, 230
Denemarken 21, 24, 31, 44, 45, 48, 78, 81, 166, 210
depositogarantiestelsel 108, 112, 150, 220
depositohouders 88, 104, 107, 150, 220
Dexia 107, 109, 216
dienstenrichtlijn 42, 52, 53
DNB 69,175
douane-unie 44, 45
Draghi, Mario 170, 217
Dublin 18
Duisenberg, Wim 68, 71, 99
Duitse Constitutionele Hof 181, 187, 196, 201-203, 207, 208
Dutch Disease 16, 148

Easyjet 63
ECOFIN 130
economisten 33, 34, 189
EEG 32, 34, 40, 41, 43-45
EFSF 165-167, 181-183, 193, 194, 201-203, 206, 213, 216-218
EFTA 46
EGKS 32, 40, 43-45
Eichengreen, Barry 21, 23, 24, 27-31, 33, 99, 126, 210
Eisenhower, Dwight 32
Enschede 25, 26, 169
Entente 36
ESM 166, 181-183, 193-195, 202, 204, 206
EU-uitbreiding 48, 51
eurobonds 77, 162, 179-180, 183, 184, 201, 202, 206, 207, 226-228
Eurogroep 11, 12, 190
Euronext 93, 140
Europees Hof van Justitie 42, 43, 130, 202
Europees Monetair Instituut 47
Europees Parlement 44, 81, 138, 189
Europese Akte 42, 45-47, 52
Europese Commissie 43, 44, 46, 59, 60, 62-64, 71, 81, 130, 137, 138, 216
Europese Raad 43-45, 128, 204, 205
Europese Rekenkamer 113
Eurostat 113, 174
externe effecten 191, 192

faillissementswetgeving 104, 105, 113
FDP 206
FED 103, 151
federaal 26, 46, 108, 119, 158-160, 187, 188, 196, 197, 208, 211, 220, 224, 226-228, 231
Feldstein, Martin 72
Fiat 92
Financial Times 11, 155, 189, 190, 206, 228
financiële instellingen 37, 74, 83, 85, 86, 88, 93-116, 172, 216, 221
financieringstekort 11, 14-16, 34, 105, 122-125, 128-135, 137, 145, 146,155-160, 164, 180, 196, 204, 212, 217, 219, 224, 225
Finanzausgleich 195-197
Finland 30, 45, 46, 49, 63, 167, 190, 199, 228
Fitch 102
forbearance 109-112
Fortis 97

frank 34, 35, 48, 69, 78
Frankfurt 91, 98, 211, 217, 218
Frans-Duitse as 33, 36, 37
Friedman, Milton 33

Gauweiler, Peter 201
gemeenschappelijke markt 69, 73, 93
gemeenschappelijke munt 42, 47, 68, 69, 74, 76, 79, 80, 100, 189
gemeente 25, 26, 225, 227
Glass-Steagall-wet 94
goederen 37, 42, 44, 50-52, 70, 93
Grauwe, Paul de 117, 123, 155
great moderation 164
Griffith, Rachel 58
grondwet 28, 155, 159, 160, 187, 189, 192, 195, 197, 201, 202, 210, 220, 221
Groningen 25
Grote Recessie 7, 12, 16, 17, 19, 103, 133, 134, 136, 229
gulden 48, 67-69, 76, 169
gulden financieringsregel 221, 224

Harvard Universiteit 58
Healey, Denis 163
Hellwig, Martin 163, 190, 192
hereniging 35, 36, 131, 194, 197
herstructurering 9, 38, 111, 112, 156, 160, 162, 164, 167, 168, 169, 176, 184, 198, 206, 222
hervormingsbeleid 136, 137, 149, 150, 155, 162-164, 170, 198, 204, 206, 210, 217, 226, 228, 229
Horioka, Charles 72
hyperinflatie 185-187

Icesave 93
IFS 58
IIF 168
IMF 142, 145, 149, 153, 159, 163-165, 167, 176, 194, 197, 198
import 14, 18, 44, 50, 51, 54, 64, 70, 162
inflatie 14, 22-24, 29, 34, 35, 69, 77-79, 101, 119, 121-123, 125-128, 151, 163, 164, 171, 187, 188, 205, 213
ING Direct 93, 94
innovatie 40, 57-59, 64, 65, 80
interbancaire leningen 88, 93, 96, 103, 150, 177
interne markt 9, 37, 40-46, 48-51, 54-67, 81, 88, 128, 199, 200, 210
investeringen 14, 15, 18, 19, 22, 53, 58, 69, 70, 72-74, 79, 85, 90, 102, 103, 106, 157, 159, 196, 221, 222
Issing, Otmar 189, 195, 206

Jager, Jan Kees de 222
Jongerius, Agnes 209, 210
JP Morgan 175

kapitaalreserves 9, 17, 37, 88, 91, 93, 94, 102, 104-109, 111-115, 168, 178, 213, 215, 218
King, Mervyn 164
KLM 62
Knot, Klaas 169
Kohl, Helmuth 36, 37, 43
Kok, Wim 68
kredietbeoordelaar 102, 154, 166
Kroes, Neelie 60, 68

Landesbanken 95
Latijns Amerka 153, 169
Lehman Brothers 12, 88, 177, 215, 216
lender of last resort 10, 29, 38, 150, 153, 155, 156, 165, 166, 169, 181, 211, 221, 225-227, 229
liquiditeitspremie 77, 100, 180
liquiditeitsprobleem 10, 29, 100, 140, 149-150, 153, 156, 178, 179, 181, 183, 198, 205

liquiditeitssteun 104, 150, 151, 165, 172, 177
Lissabon-agenda 57
Lubbers, Ruud 164
Lufthansa 62, 63
Luns, Joseph 40, 41
Luxemburg 40, 97, 218

Maastricht 31, 68, 69
macroprudentieel toezicht 137, 138
mark 34, 48, 67, 69, 78, 79, 87, 127
mededinging 60, 61, 63, 187
Merkel, Angela 37, 123, 163, 167, 201
Mitterand, François 36, 37, 46
monetair beleid 14, 22-24, 34, 47, 67, 78-80, 86, 91, 99, 118-121, 123, 124, 155, 164, 170, 172, 205, 211, 218, 219, 221, 225
monetaire unie 7, 11, 21-24, 27, 29, 33, 35-38, 47, 67, 69, 70, 75, 78-80, 92, 114, 117-121, 123-129, 137, 156, 165, 183, 188, 189, 197, 199, 200, 210, 211, 220, 227, 228
monetaristen 33, 189, 205
money market funds 108
Monnet, Jean 43
Moody's 102, 166
Mortgage-Backed Securities 166
Mundell, Robert 118, 119

nationale kampioen 29, 40, 60-62, 64, 65, 111
NAVO 33
Nederlandse Spoorwegen 68
New York Stock Exchange 93, 163
no-bailout clausule 9, 100, 101, 117, 127, 129, 131-133, 137, 162, 166, 168, 176, 177, 179, 189, 219
Noorwegen 30, 46
Nutricia 64

Obstfeld, Maurice 74
Olson, Mancur 61
ontslagbescherming 17, 210, 228
Oost-Duitsland 35, 197
Oostenrijks-Hongaarse grens 35
optimale muntgebied 118-121, 126, 133, 139
opt-out clausule 81

Papaconstantinou, George 11, 12, 169
pensioenfonds 145, 172, 195, 200, 222, 223
pensioenleeftijd 125, 148, 228
pensioenstelsel 59, 210
pensioenverplichtingen 222
Philips 70, 92
piramidespel 144
politieke integratie 9, 31-33, 43, 121, 124, 189, 190, 192
politieke unie 9, 11, 37, 46, 189, 202
Prodi, Romano 130, 135
Proissl, Wolfgang 190
prompt corrective action 112

Rabobank 180
RBS 174
Regling, Klaus 218
Reinhart, Carmen 105
risicopremie 73, 74, 87, 177, 198, 199
risicospreiding 30, 73, 74
Rogoff, Kenneth 105, 144
Rompuy, Herman van 137, 182
Rutte, Mark 183, 222
Ryanair 63

Sapir, André 57
Sarkozy, Nicolas 37, 163
Savings & Loan crisis 94, 109
Scandinavië 30, 39, 190
Schäuble, Wolfgang 169, 206
Schoenmaker, Dirk 99

schuldenrem 204
Schuman, Robert 43
SCP 210
Siemens 92
Sinn, Hans-Werner 193-195, 206
sixpack 137, 138, 183, 225
Slang, de 34-36, 78
sociale markteconomie 186-190, 192, 195, 203, 205
soevereiniteit 40, 202, 207
soevereiniteitsbeginsel 141, 142, 207
solvabiliteitsprobleem 30, 100, 104, 107, 140, 146, 149, 152, 178, 194, 198, 201
Sparkassen 95
SPD 206
staatssteun 12, 17, 18, 20, 60, 64, 65, 83, 86, 88, 103-105, 107, 108, 113, 114, 134, 158, 223
Stabiliteitspact 101, 115, 117, 122, 124, 127-131, 133-135, 137-139, 151, 189, 194, 196, 204-207, 210
Standard & Poor's 102, 154, 165
Stark, Jürgen 127, 170, 172, 204-206
stresstest 108, 109, 112, 113, 177, 216
structuurfondsen 26, 226
subsidiariteit 191, 192
Suezkanaal 32, 33, 36
systeembank 110, 114

Thatcher, Margaret 36, 45-47, 58, 78, 163
The Economist 91, 171, 185, 211
Tilburg 25, 26, 169
toelatingscriteria 21, 81, 122-124, 129
toezichthouder 17, 29, 60, 93-98, 104, 108-115, 177, 192, 209, 211, 212, 214-218, 221-230
too big to fail 183
transactiekosten 70-72, 79, 118
Transferunion 183, 193, 195, 197, 199, 201, 208, 224, 231
Trichet, Jean-Claude 170, 205, 213, 214, 217, 218
Trojka 145, 153, 169

uittreden 80-90, 198-200

vakbonden 23, 163
Venezuela 141
Verdrag van Lissabon 81, 202, 203
Verdrag van Maastricht 21, 22, 27, 29-31, 33, 36, 39, 46, 47, 68, 78, 89, 100, 101, 117, 122, 124, 126, 127, 132, 151, 189, 204, 212, 218, 219, 222, 223, 225, 228
Verdrag van Rome 40-43, 51, 199
vier vrijheden 42
VK 24, 32-34, 36, 45-48, 58, 59, 78, 81, 95, 97, 136, 141, 155, 156, 160, 163-166, 190, 191
VNO-NCW 210
VS 9, 23-29, 32, 46, 55, 57, 85, 88, 93, 94, 103, 108, 109, 112, 117, 120, 121, 132, 133, 136, 140, 141, 146, 154-160, 177, 184, 187, 220, 221, 224, 227

Washington 141
Weber, Axel 127, 212
Weder di Mauro, Beatrice 197, 198
Weidmann, Jens 193, 195, 206
Wellink, Nout 69, 166
West-Duitsland 35
Wientjes, Bernard 210
Wirtschaftswunder 35
wisselkoers 22, 34, 48, 67, 78-81, 86, 87, 89, 99, 118, 122, 155, 156, 171
wisselkoersrisico 70-72, 80
Wolf, Martin 11, 228
WTO 49

Zalm, Gerrit 68, 69, 89, 123-125, 130, 135
Zapatero, José Luis Rodríguez 17
zelfbevestigende paniek 150, 151
Zuid-Limburg 25
Zweden 22, 30, 44-46, 48, 49, 81, 166